Learning with Manga : A Usage Guide for 100 Advanced Japanese Expressions

マンガで学ぶ
日本語上級表現使い分け 100

N1〜N3レベル

アルク

はじめに

● 住民の意見にかかわらず、空港は建設されるだろう。
● 住民の意見にもかかわらず、空港は建設されるだろう。
（似た言い方だけど、意味も同じ？　違いは何？）

● こんなにたくさん食べきれない。
● こんなにたくさん食べられっこない。
（違いは何？　だいたい同じ？）

　日本語の勉強を始めて少しすると、言い方や意味が似た表現が出てきて、「違いがよくわからないけど、ま、いいか」と思ったことが、1度や2度、3度か4度、5度も6度もあったでしょう。
　その「違いがわからない」という思いは、上のレベルになるほど大きくなり、特に、日本語能力試験N3以上のレベルを勉強しはじめるころの学習者からは、前に同じような意味の言い方を習ったけど、何が違うのか、とよく聞かれます。例えば、「母親の顔を見るなり、見たとたん、どっちも見てすぐという意味でしょう？」というわけです。さらには、「試験に受かるためには、接続する動詞の形を覚えればいいですよね」と言って、せっかく勉強した表現を使えないままにしてしまう学習者の姿も見られます。
　確かに、意味が似ている言い方は、どちらを使ってもいい、そんなに変わりはない、という場合もあります。また、言い方が似ている表現では、間違って使っても話の流れから通じることもあるでしょう。しかし、「どちらも同じだ、変わりない」と決め付けてしまったり、「通じればいいじゃないか」といいかげんに覚えたりしていると、いつかどこかで、変な間違いを犯したり、言いたいことを誤解されたりすることがあるかもしれません。
　そこでこの本では、言い方が似ているために学習者が混乱しやすい表現や、意味が似ているために違いがよくわからないという声を聞く表現を、二つ並べて比べ、話す相手や使う場面、話す人の気持ちなど、何が違うのかをわかるようにし、それぞれの特徴がいちばん出ているところが見えてくるように、工夫しました。
　どうやって工夫したかというと、マンガを使ったのです。それぞれの表現の違いを表すには、マンガが一目瞭然、印象にも残りやすく効果的であり、しかも楽しくおもしろがりながら学べるからです。
　「この表現は、こんな使い方をすると、個性が輝き、生きてくるんだ」ということをつかんで使ってもらえたらうれしいです。でもいちばんうれしいのは、この本を読んで笑ってもらえることかもしれません。
　では、皆さん、楽しいひとときをお過ごしください。そして、いろいろな表現を自分のものにしてお役立てください。

2011年10月吉日
増田　アヤ子

『マンガで学ぶ　日本語上級表現使い分け100』目次

はじめに ……………………………………………………………… 3
目次 ………………………………………………………………… 4
本書について ……………………………………………………… 6

第1部　言い方が似ている表現

1 「からには」VS「からして」……………………………… 10
2 「ほかない」VS「にほかならない」……………………… 14
3 「のもとで」VS「をもとに」……………………………… 18
4 「をはじめ」VS「てはじめて」…………………………… 22
5 「かぎりでは」VS「かぎり」……………………………… 26
6 「からいって」VS「からといって」……………………… 30
7 「次第」VS「次第で」……………………………………… 34
8 「どころか」VS「どころではない」……………………… 38
9 「にかかわらず」VS「にもかかわらず」………………… 42
10 「ばかりに」VS「ばかりか」……………………………… 46
11 「ようものなら」VS「ものなら」………………………… 50
12 「たところで」VS「たところ」…………………………… 54
13 「ものの」VS「ものを」…………………………………… 58
14 「ずにはおかない」VS「ずにはいられない」…………… 62
15 「ではあるまいし」VS「まい」…………………………… 66

第2部　意味が似ている表現

1 「おそれがある」VS「かねない」………………………… 72
2 「ないわけにはいかない」VS「ざるをえない」………… 76
3 「ばかりでなく」VS「のみならず」……………………… 80
4 「反面」VS「一方で」……………………………………… 84
5 「をきっかけに」VS「を契機に」………………………… 88
6 「かねる」VS「わけにはいかない」……………………… 92
7 「に伴って」VS「に従って」……………………………… 96

8	「つつある」vs「一方だ」	100
9	「っぱなし」vs「かける」	104
10	「ないことには」vs「てからでないと」	108
11	「にしては」vs「わりに」	112
12	「あげく」vs「末に」	116
13	「あまりの～に」vs「あまり」	120
14	「きれない」vs「っこない」	124
15	「に関して」vs「をめぐって」	128
16	「に加えて」vs「上」	132
17	「に応えて」vs「に応じて」	136
18	「ものだ」vs「ことだ」	140
19	「からこそ」vs「ばこそ」	144
20	「といっても」vs「とはいえ」	148
21	「なり」vs「たとたん」	152
22	「にひきかえ」vs「に比べて」	156
23	「までだ」vs「しかない」	160
24	「までもない」vs「ことはない」	164
25	「ようにも～ない」vs「ようがない」	168
26	「以上」vs「手前」	172
27	「きり」vs「たら最後」	176
28	「て以来」vs「てからというもの」	180
29	「といったらない」vs「てならない」	184
30	「ともなると」vs「だけあって」	188
31	「なくもない」vs「ないことはない」	192
32	「をものともせず」vs「もかまわず」	196
33	「いかんで」vs「いかんでは」	200
34	「そばから」vs「が早いか」	204
35	「ようが」vs「ようが～まいが」	208

文化メモ ……………………………………………… 212
索引 ………………………………………………… 214

本書について

対象レベル
この本で使用している表現のレベルは、中級後半から上級のものを中心にしています。
日本語能力試験N3合格者からが目安です。

ねらい
この本では、学習者から使い分けにくいという声のある表現を「言い方が似ている表現」と「意味が似ている表現」として50組、取り上げています。マンガによって、それぞれの使い方の違いを、状況を把握しながら比べ、的確な使い方を理解することができます。その後、その表現を用いて、書いたり話したりすることで、実際に使えるようになることを、ねらいとしています。

1 UNIT
一つのユニットで、第1部は「言い方が似ている表現」、第2部は「意味が似ている表現」を比べます。

2 文の比較
二つの表現の違いは何かを確認します。初めはわからなくても、このユニットを一通り確認した後に、わかるようになります。

3 ポイント説明
この表現はどのような使い方をするかを一言で説明しています。ここを確認してから、四コママンガを読んでみましょう。

4 レベル表示
この本ではN1～N3相当の表現を扱っています。どのレベルに相当するかを★の数で表します。★の数が少ないほどレベルは高くなります。

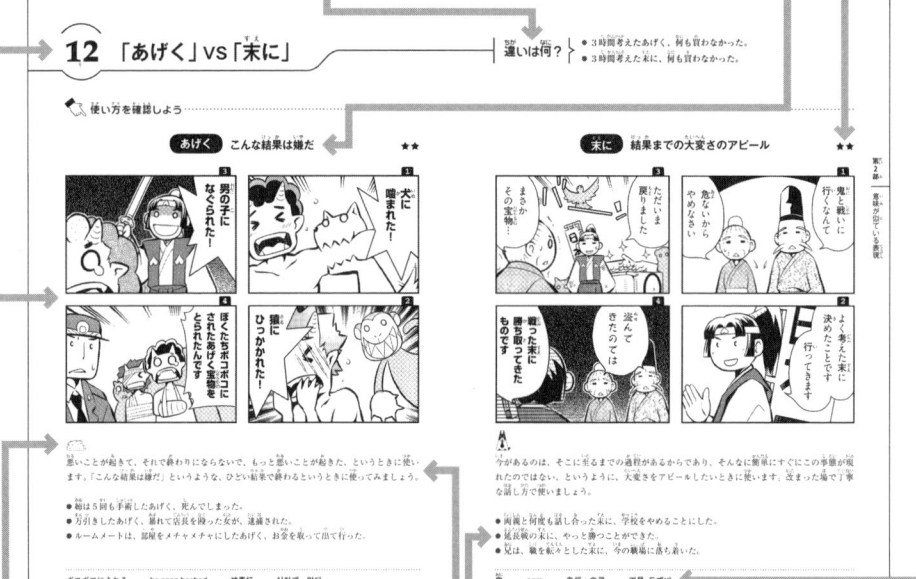

5 四コママンガ
このユニットの表現を会話中で使った四コママンガで、使う状況や、場面を確認します。楽しみながら読みましょう。

6 場面
△は主にフォーマルな場面で使う表現で、💬は主にカジュアルな場面で使う表現であることを表します。

7 詳細説明
この表現の使い方を詳しく説明しています。四コママンガに続いて読み、使い方の特徴をしっかり理解します。

8 例文
この表現を使った例文を3つ紹介しています。

9 翻訳
四コママンガのセリフの中で、教科書には出てこないような日本語を、英語、中国語、韓国語に翻訳しています。

10 入れてみよう
二つの表現の使い方や違いが理解できたかを確認するため、＿＿＿に、適切な言葉を入れていきます。どちらの表現を入れても間違いではない場合もありますが、その場面では、どちらがよりその表現の特徴を生かせるかを考えて、適切なほうを入れましょう。

12 作ってみよう
まずタイトルがあり、それに沿った会話文が続きます。学習した表現を使い、＿＿＿に当てはまるような文を作ってみましょう。別冊に解答例を掲載しています。

11 入れてみよう解答
＿＿＿の中に言葉を入れたら、すぐに答えを確認してみましょう。

13 話してみよう
指示文に沿い、それぞれの役になって会話を膨らませましょう。一人で学習している人は、会話を想像して作ってみましょう。別冊に解答例を掲載しています。

【表現の説明について】
本書で扱っている表現の中には、何種類かの使い方があるものがあります。本書では、一つのユニットで二つの表現を比べたとき、言い方や意味が似ていて使い分けにくい種類のものを、取り上げて説明しています。(例:「ものだ」には、①「よく～したなあ」と回想する、②「本当に～だなあ」と感慨を表す、③「～するのが常識だ」と忠告する、という使い方がありますが、本書では「悪いと思ったら謝ることだ(冷静に助言を与える)」の「ことだ」と比べるため、③「～するのが常識だ」と忠告する、の使い方を取り上げています)

【文化メモについて】
本書では、日本の昔話やイソップ童話、映画などのパロディがふんだんに出てきます。巻末の文化メモに、どの箇所に何のパロディを使ったかを掲載していますので、授業のネタや、日本文化への理解を深めるために、お使いください。

第1部

言い方が似ている表現

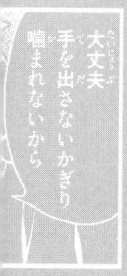

1 「からには」vs「からして」

使い方を確認しよう

からには それに見合った答えを出す ★★★

一つの現実を前にして、その現実に見合った答えを求めるときに使います。目の前の現実を軽く見てはいけない、覚悟を決めて最後までやり通す、という思いを表します。

- 秘密を打ち明けたからには、力になってほしい。
- 何事も、やるからには全力を尽くすのが、私のやり方だ。
- 親の反対を押し切って役者になったからには、有名になるまで帰れない。

違いは何？

- 彼が出演するからには、映画のヒットは間違いなしだ。
- 彼の出演からして、映画のヒットは間違いなしだ。

からして　これだけでわかる　★★

1. あの男　プレイボーイで有名なタレントじゃない？

2. グラスの持ち方からしてキザだな　女のほうは最近出はじめたアイドルだ

3. ティヒッ　やだぁーうそぉー♪

4. 声からして媚びてるよな

ある人や物に対する思い込みや先入観から、その一部を見て評価するときに使います。よい評価にしても悪い評価にしても主観的で、ひいきにしている思いや、嫌っている思いが伝わります。

- 育ちのいい人は、座り方からして品がある。
- タバスコは、色からして辛そうだ。
- 東京は、人々の歩く速度からして、地方と比べ、せわしない。

| キザ | show-off, | 装模作样；装腔作势 | 꼴불견 |
| ティヒッ | tee-hee (coy laugh) | 嘿嘿 | 후훗 (애교 섞인 웃음소리) |

次の会話の＿＿＿に、「からには」か「からして」のどちらか、より適切なほうを入れましょう。

1
女：助けてーっ！
男：私が来た＿＿＿＿＿＿、もう大丈夫だよ。

2
友A：やっぱ、メダリストはどこか違うね。
友B：うん。立ち姿＿＿＿＿＿＿美しいよね。

3
刑事：署までご同行願います。
容疑者：連行する＿＿＿＿＿＿、証拠があるんだろうね。

4
負債者：もう少し待ってください。必ず返します。
ヤミ金業者：借りた＿＿＿＿＿＿返さなきゃ、ね。

5
母：賢そうね。
父：うん。手の握り方＿＿＿＿＿＿天才だね。

6
夫：もやし、嫌い？
妻：形＿＿＿＿＿＿許せない。

[こたえ] １からには ２からして ３からには ４からには ５からして ６からして

作ってみよう

「からには」を使って、会話を完成させましょう。

1 マラソン大会

友A：ずいぶん一生懸命、準備運動するんだね。
友B：＿＿＿＿＿＿＿＿＿＿＿＿＿＿＿＿＿＿＿＿＿＿＿＿＿＿＿＿＿＿＿＿。

2 禁煙

夫：タバコやめる！
妻：やめられるの？
夫：＿＿＿＿＿＿＿＿＿＿＿＿＿＿＿＿＿＿＿＿＿＿＿＿＿＿＿＿＿＿＿＿＿。
妻：じゃ、もしまた吸ったら＿＿＿＿＿＿＿＿＿＿＿＿＿＿＿＿＿＿ね。

「からして」を使って、会話を完成させましょう。

3 高級レストラン

友A：ここだよ。ガイドブックに載ってた三ツ星レストラン。
友B：＿＿＿＿＿＿＿＿＿＿＿＿＿＿＿＿＿＿＿＿＿＿＿＿＿＿＿＿＿。
友A：入るの、やめようか。

4 娘の結婚相手

父：あの男との結婚は認めないよ。
娘：どうして？
父：＿＿＿＿＿＿＿＿＿＿＿＿＿＿＿＿＿＿＿＿＿＿＿＿＿＿＿＿＿。
娘：いいじゃない、そんなこと、どうでも。

話してみよう

1. 二人は親子です。習い事をしたいと言う子どもに、「からには」を使って、条件付きで認めましょう。
2. 二人は、ある動物が好きな人と嫌いな人です。「からして」を使って、その動物について話しましょう。

2 「ほかない」vs「にほかならない」

 使い方を確認しよう

ほかない 最後の手段 ★★★

本当はしたくないけれど、目的を遂げるための最後の手段はこれだ、いろいろ考えて、たどり着いた最後の道だ、と言いたいときに使います。覚悟や諦めの気持ちを表すことができます。

- 電車もバスも車もないのだから、目的地まで歩いて行くほかない。
- お金が無いのだから、いくら欲しくても諦めるほかない。
- 受けた大学、全てに落ちたのに、それでも大学に行きたいというのなら浪人するほかない。

違いは何？	● 合格するには、校長の推薦をもらうほかない。 ● 合格したのは、校長の推薦をもらったからにほかならない。

にほかならない　理由・原因はこれだ

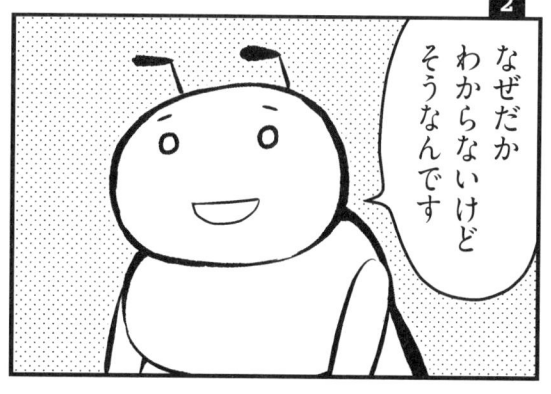

理由や原因はこれだ、これ以外に考えられない、と言いたいときに使います。説得したり解説したりするときに用いられます。冷静に、客観的に話すと効果的です。

● 政権交代は、国民の不満の現れにほかならない。
● 今回のリストラは、社長の意向にほかならない。
● 今日の繁栄は、先人たちの努力の結果にほかならない。

入れてみよう

次の会話の＿＿＿＿に、「ほかない」か「にほかならない」のどちらか、より適切なほうを入れましょう。

1
夫：今月も家賃が払えない。

妻：もう夜逃げする＿＿＿＿＿＿ね。

2
観客A：この点の開きは何?!

観客B：実力の差＿＿＿＿＿＿でしょう。

3
姫：私はまだ結婚などしたくありません。

家臣：この家を守るためには姫が結婚する＿＿＿＿＿＿のです。

4
脱走犯A：もうダメだ。逃げられない。

脱走犯B：こうなったら飛び込む＿＿＿＿＿＿。

5
タレント：やせたいんだけど。

マネージャー：ダメです。ファンが好きなのはその体型＿＿＿＿＿＿のです。従ってやせてはいけません！

6
ピエロA：いつもおかしなことをして笑わせていて、これでいいんでしょうか。

ピエロB：ピエロの役割は人を笑わせること＿＿＿＿＿＿と思いますよ。

[こたえ] 1 ほかない 2 にほかならない 3 ほかない 4 ほかない 5 にほかならない 6 にほかならない

作ってみよう

「ほかない」を使って、会話を完成させましょう。

1 遊び過ぎ

友A：終電、行っちゃったよ。どうしよう。
友B：＿＿＿＿＿＿＿＿＿＿＿＿＿＿＿＿＿＿＿＿＿＿＿＿＿＿＿＿＿＿＿＿。
友A：じゃ、そうしよう。

2 進学希望

父：全然、成績よくならないな。
子：がんばってるんだよ。
父：＿＿＿＿＿＿＿＿＿＿＿＿＿＿＿＿＿＿＿＿＿＿＿＿＿＿＿＿＿＿＿＿＿。

「にほかならない」を使って、会話を完成させましょう。

3 売り上げの低迷

店員A：最近どうして売り上げが伸びないんでしょう？
店員B：＿＿＿＿＿＿＿＿＿＿＿＿＿＿＿＿＿＿＿＿＿＿＿＿＿＿＿＿＿＿＿。

4 研究の成功

助手：先生、研究を成功に導く秘訣は何でしょうか。
教授：＿＿＿＿＿＿＿＿＿＿＿＿＿＿＿＿＿＿＿＿＿＿＿＿＿＿＿＿＿＿＿。

話してみよう

1. 二人は夫婦です。お金がなくてどうやって給料日まで我慢するかについて、「ほかない」を使って話しましょう。

2. 二人は、大学の教授と学生です。環境問題の原因について質問する学生に、「にほかならない」を使って答えましょう。

第1部　言い方が似ている表現

3 「のもとで」vs「をもとに」

 使い方を確認しよう

のもとで　影響力のある存在　★★

人はもちろん、さまざまな生き物に影響力がある存在を表します。その存在は、人だけではなく自然や動物であることもありますが、「のもとで」を使うときは、その存在に対する感謝や畏れの思いが表れます。

- 弟たちは、厳しいコーチのもとでバレーボールの練習を重ね、県大会で優勝した。
- 人間以外にも、親の庇護のもとで成長する動物は多くいる。
- 大自然のもとで生きることは、口で言うほど簡単ではない。

| 雪だるま | snowman | 雪人 | 눈사람 |

違いは何？	● 彼は、変化に富んだ四季のもとで曲を作った。 ● 彼は、変化に富んだ四季をもとに曲を作った。

をもとに　創造の手掛かり　★★★

独自のものを作り出すことになった手掛かりを表します。手掛かりとなったものと、出来上がったものは違うものになっていますが、今あるものは、全くのゼロから作り上げたものではない、と言いたいときに使います。

● 彼は、上司のアドバイスをもとに企画案を作成した。
● これは、昔書かれた台本をもとに撮影された映画だ。
● プロの物書きは、小さな一つのエピソードをもとに、物語を創り上げることができる。

入れてみよう

次の会話の_____に、「のもとで」か「をもとに」のどちらか、より適切なほうを入れましょう。

1
教授：大阪の大学に移るのは、来週からですか？

助手：はい。これまで教授_____研究できて、幸せでした。

2
記者：この小説は？

作家：東北地方に伝わる民話_____書きました。

3
課長：転勤してからもがんばってね。

社員：はい。今まで課長_____仕事ができて、本当によかったと思っています。

4
司会者：主演男優賞、おめでとうございます。

俳優：ありがとうございます。監督の指導_____がんばった甲斐がありました。

5
上司：今日の営業ミーティングは？

部下：お客様アンケート_____話し合いたいと思います。

6
社員A：このデザインは？

社員B：うちの子が描いた絵_____したものです。

[こたえ] 1 のもとで 2 をもとに 3 のもとで 4 のもとで 5 をもとに 6 をもとに

作ってみよう

「のもとで」を使って、会話を完成させましょう。

1 田舎暮らし

友A：大企業を辞めて、田舎暮らしを始めるんだって？
友B：うん。_____。

2 マスターに感謝

マスター　　　：おまえもいよいよ独立か。
バーテンダー　：_____。
マスター　　　：おまえがいなくなると寂しくなるな。たまには遊びに来いよ。

「をもとに」を使って、会話を完成させましょう。

3 観光都市のシンボルキャラ

観光客A：ここのキャラクターは、どうやって決めたんでしょうね。
観光客B：_____。

4 マンガ

友A：この前、貸してもらったマンガ、すごくおもしろかったよ。
友B：_____。

話してみよう

1 二人は友達同士です。「のもとで」を使って、学生時代の部活の恩師について話しましょう。
2 二人は友達同士です。「をもとに」を使って、何かを参考にして自分で作ったものについて話しましょう。

4 「をはじめ」vs「てはじめて」

使い方を確認しよう

をはじめ すぐ思い付くもの ★★

1. ずいぶん参考書、買ったのね

2. 数学をはじめ物理、化学など10冊ほどね / へぇー

3. (パラッ)

4. これで受験はばっちりだよ / ノート真っ白なんだけど

言いたいことはいろいろあるけど、一番に思い浮かんだこと、いちばん言いたいと思うことを、まず話しておきたい、というときに使います。いろいろある中の代表を言うことで、すごさをアピールすることもできます。

- 私はこれまで、コンビニをはじめ、いろいろなところでバイトしてきた。
- 大学生の姉は、コーラス部をはじめ、五つものサークルに入っている。
- この作品は、日本アカデミー賞をはじめ、数々の賞を獲得した。

| 違いは何？ | ● サッカーをはじめ、スポーツ観戦が好きな人は少なくない。
● サッカーを見てはじめて、スポーツ観戦が好きになる人は少なくない。 |

てはじめて　やって、ようやく　★★★

Aをした後でようやくBになる、Bということがわかる、気付く、というときに使います。また、Aをしないとできるようにならない、と言いたいときにも使います。

● 友達に聞き返されてはじめて、自分が方言を話していることに気付いた。
● 忘年会の幹事をやってはじめて、裏方は大変なんだと思った。
● 一人暮らしをしてはじめて、包丁の握り方を知った。

入れてみよう

次の会話の_____に、適当な言葉と、「をはじめ」か「てはじめて」のどちらか、より適切なほうを使って入れましょう。

1
刑事A：この女、若いのにすごいですね。

刑事B：ええ。_____傷害などで前科6犯ですからね。

2
男：お酒は飲めますか。

女：_____、お酒なら何でも。

3
妻：何しに来たの？

夫：戻って来てくれ。おまえに_____子育ての大変さがわかったよ。

4
母：いいねえ。似合うねえ。

息子：スーツ_____社会人としての実感が湧いてきたよ。

5
女：ご趣味は？

男：_____、競輪、競艇、賭け事なら何でも。

6
妻：毎日、よく飲むね。

夫：_____、仕事から解放されたって気がするんだよ。

[こたえ] 1 殺人をはじめ 2 焼酎をはじめ 3 出て行かれてはじめて 4 を着てはじめて 5 競馬をはじめ 6 お酒を飲んではじめて

作ってみよう

「をはじめ」を使って、会話を完成させましょう。

1 感謝

インタビュアー：主演女優賞おめでとうございます。
女優：ありがとうございます。＿＿＿＿＿＿＿＿＿＿＿＿＿＿＿＿＿＿＿＿＿＿＿。

2 習い事

友A：今まで、何か習い事したことある？
友B：うん。いっぱいあるよ。＿＿＿＿＿＿＿＿＿＿＿＿＿＿＿＿＿＿＿＿＿。

「てはじめて」を使って、会話を完成させましょう。

3 中学生のやる気

母親：私がこんなに一生懸命なのに、うちの子、ちっとも成績がよくならなくて。
担任：＿＿＿＿＿＿＿＿＿＿＿＿＿＿＿＿＿＿＿＿＿＿＿＿＿＿＿＿＿＿＿＿＿＿。

4 大人の条件

友A：20になっても30になっても大人とはいえない人っているよね。
友B：うん。どうしたら大人といえるんだろう？
友A：＿＿＿＿＿＿＿＿＿＿＿＿＿＿＿＿＿＿＿＿＿＿＿＿＿＿＿＿＿＿＿＿＿＿。

話してみよう

1. 二人は、スポーツクラブのレッスンについて質問する入会希望者と、受付の人です。受付の人は「をはじめ」を使って、入会希望者の質問に答えましょう。
2. 二人は友達同士です。「てはじめて」を使って、何かに気付かされた体験について話しましょう。

5 「かぎりでは」vs「かぎり」

 使い方を確認しよう

かぎりでは 一部からの判断

自分の考えは一部の情報から出したものであることを強調したいときに使います。まだ事実がわかっていないときは、自分の判断は間違っている可能性もある、という思いを表します。また、事実が違っていたときは、一部の情報であることが言い訳になります。

- 1週間鍛えたかぎりでは、今年の新人は悪くない。
- きのう調べたかぎりでは、この機械に悪いところはなかった。
- 私が捜査したかぎりでは、彼にはアリバイがある。

違いは何？	● 新聞で調べているかぎりでは、いい就職先はない。 ● 新聞で調べているかぎり、いい就職先はない。

かぎり　これだけが問題　★★

今の状況を変えたくないと思っている場合、一つの問題ある行動をとらなければいい、と言いたいときに使います。また、一つの問題点を解決しなければ、変えたいと思っている今の状況は変わらない、というときに使います。

● あなたが私を裏切らないかぎり、私はあなたを信じる。
● 手術をしないかぎり、治る見込みはない。
● 証拠が見つからないかぎり、彼を逮捕することはできない。

入れてみよう

次の会話の_____に、「かぎりでは」か「かぎり」のどちらか、より適切なほうを入れましょう。

1

カエルA：海が見たい。

カエルB：ここにいる_____ムリ。

2

部下：今度バイトで入る外国人、日本語、大丈夫なんですか。

上司：面接した_____、相当できるよ。

3

男：また来年の7月7日までさようなら。

女：この川がある_____、私たち1年に1度しか会えないのね。

4

子：信じてるよ。

父：大丈夫。おまえが動かない_____、失敗しないから。

5

妻：この牛乳、平気？

夫：匂いを嗅いだ_____飲めると思うけど。

6

フランケンシュタイン：どうですか？

医者：レントゲンを見る_____どこも折れてませんけど。

[こたえ] 1 かぎり 2 かぎりでは 3 かぎり 4 かぎり 5 かぎりでは 6 かぎりでは

作ってみよう

「かぎりでは」を使って、会話を完成させましょう。

1 転校生

校長：今度の転校生はどうですか。
担任：＿＿＿＿＿＿＿＿＿＿＿＿＿＿＿＿＿＿＿＿＿＿＿＿＿＿＿＿＿＿＿＿＿＿＿＿＿。
校長：それはよかった。

2 登山

友A：新しい登山靴はどう？
友B：＿＿＿＿＿＿＿＿＿＿＿＿＿＿＿＿＿＿＿＿＿＿＿＿＿＿＿＿＿＿＿＿＿＿＿＿＿。
友A：まだ山、登ってないんだ。

「かぎり」を使って、会話を完成させましょう。

3 校則違反

友A：バレたらどうしよう。
友B：＿＿＿＿＿＿＿＿＿＿＿＿＿＿＿＿＿＿＿＿＿＿＿＿＿＿＿＿＿＿＿＿＿＿＿＿＿。

4 会社の将来

取締役A：この会社を発展させるには、どうしたらいいでしょう？
取締役B：＿＿＿＿＿＿＿＿＿＿＿＿＿＿＿＿＿＿＿＿＿＿＿＿＿＿＿＿＿＿＿＿＿＿。

話してみよう

1. 二人は、旅行から帰って来た人と、その話を聞く友達です。「かぎりでは」を使って、行く前の情報と違っていた旅先の様子について、話しましょう。

2. 二人は同級生です。一人はまじめな優等生で、もう一人は勉強ができません。「かぎり」を使って、できない学生に意見しましょう。

6 「からいって」vs「からといって」

使い方を確認しよう

からいって 推測の根拠 ★★

1. うちのクラスに成績からいって進学の難しい子がいるんですけど

2. 性格からいって勉強ができないから進学しないとは言わないと思うんですよ

3. 別に勉強できないとかじゃないし 勉強なんかしたくないだけだし

4. あいつですか／あいつです

一部の判断材料から結論を推測するときに使います。その判断材料には、それまで積み重ねてきた経験やデータが用いられます。それを根拠に「こうなるだろう、こう思う」という考えを伝えます。

- 彼の実力からいって、合格は間違いないだろう。
- 今日の気温からいって、アイスキャンディーの売り上げは多いと思う。
- 彼女の体力からいって、登山は無理だ。

違いは何？

- 敷地の広さからいって、このホテルを一流とはいえない。
- 敷地が広いからといって、このホテルを一流とはいえない。

からといって　それは理由にならない ★★

1. 大学を出たからといっていい会社に入れるとはかぎらないし

2. がんばったからといって出世できるわけじゃないし

3. イヤだからといってすぐ辞めるわけにはいかないしさあ

4. だからといってニートになってはいけませんよ

普通は理由として考えられることが理由にならない、というときに使います。自分にしかわからない事情があるときや、相手の考えが足りない、もっとよく考えたほうがいい、と言いたいときに使います。

- やりたくないからといってやらなかったら、クビになる。
- 国が豊かになったからといって、国民が皆、豊かになったわけではない。
- 立地条件がいいからといって、店がはやるとは限らない。

ニート　　unemployed young people　　啃老族；尼特族　　청년 무직자

入れてみよう

次の会話の＿＿＿＿に、「からいって」か「からといって」のどちらか、より適切なほうを入れましょう。

1
子ども：今日、けんかした。
嫌いだからなぐった。

母親：嫌いだ＿＿＿＿＿、
なぐっちゃダメでしょ。

2
夫：隣の奥さん、いくつぐらいかな。

妻：あの化粧ののり＿＿＿＿＿、
50は過ぎてるでしょ。

3
兄：何だ？　あの「キャー」は？

弟：あの叫び方＿＿＿＿＿、
ゴキブリだね。

4
女：ごちそうさま。

男：ダイエットしている＿＿＿＿＿、
食べないなんて、ヒドい。

5
幼稚園の先生：みんなと遊ばないと、鬼に食べられちゃうぞ。

子ども：子どもだ＿＿＿＿＿バカにしないほうがいいですよ。

6
客：あとどのぐらいかかりそうですか。

運転手：この渋滞＿＿＿＿＿、あと2時間はかかるでしょうね。

[こたえ] 1 からといって　2 からいって　3 からいって　4 からといって　5 からといって　6 からいって

作ってみよう

「からいって」を使って、会話を完成させましょう。

1 宅配便の中身

妻：あなた宛てに何か来てるけど。
夫：何だろう？
妻：＿＿＿＿＿＿＿＿＿＿＿＿＿＿＿＿＿＿＿＿＿＿＿＿＿？

2 知事の予想

A：次の知事、誰になると思う？
B：今の知事が再選されるかな？
A：＿＿＿＿＿＿＿＿＿＿＿＿＿＿＿＿＿＿＿＿＿＿＿＿＿。
B：そうだよね。

「からといって」を使って、会話を完成させましょう。

3 会社員の事情

社員A：つまらないから帰りましょう。
社員B：＿＿＿＿＿＿＿＿＿＿＿＿＿＿＿＿＿＿＿＿＿＿＿＿＿。
社員A：そうですか……。

4 部長の本性

新入社員：部長はいつもニコニコしていますね。
先輩社員：＿＿＿＿＿＿＿＿＿＿＿＿＿＿＿＿＿＿＿＿＿＿＿＿＿。
新入社員：えっ、そうなんですか。

話してみよう

1. 二人は友達同士です。好きな人に交際を申し込みたいと思って相談する友達に、「からいって」を使って、反対しましょう。

2. 二人は親子です。「からといって」を使って、子どもをしつけましょう。

7 「次第」vs「次第で」

使い方を確認しよう

次第 すぐに反応 ★★

1. うちの課の人手不足はいつごろ解消されそうですか？
2. 予算が決まり次第募集をかける予定です
   それで？
3. 採用でき次第研修を開始しますよ
   研修が終わり次第うちの課で使えるんですね
4. だからいつですかそれは
   予算が決まり次第わかります

「〜したらすぐ」という意味ですが、公的な場面で使います。相手が急いでいるのを知って、この条件がクリアできたら、すぐ返答・反応する、あるいは返答が欲しいというときに使います。

- わかり次第、お知らせいたします。
- 書類ができ次第、お送りします。
- 日程が決まり次第、ご連絡ください。

違いは何？	● 来週の予定は、天気がわかり次第決まる。 ● 来週の予定は、天気次第で決まる。

次第で　これで決まる

1
採用は決まりましたか
それが……

2
いくら募集をかけても誰も来ないんですよ
条件次第でいくらでも来るでしょう

3
労働時間を半分
給料を3倍にするんです

4
ど
……どこにそんな予算が

どうなるか、その結果はAで決まる、というとき、「A次第で」と言います。アドバイスや意見を求めてきた相手に、また、質問してきた相手に、「これで決まる」と言いたいとき、冷静な言い方で使うと効果的です。

● どの学校を受験するかは、これからの勉強次第で決まる。
● その仕事を引き受けるかどうかは、スケジュール次第だ。
● 毎日の生活は、考え方次第で、楽しくもつまらなくもなる。

入れてみよう

次の会話の＿＿＿に、「次第」か「次第で」のどちらか、より適切なほうを入れましょう。

1
客：いつになったら発車するんですか。

駅員：信号機の故障が直り＿＿＿、発車いたしますので……。

2
バイト：給料はどのぐらいですか。

雇い主：売り上げ＿＿＿決まります。

3
客：お見合い写真をお願いしたいんですが。

写真屋：お任せください。光の当て方＿＿＿、実物よりずっときれいに撮れますから。

4
客：早く着き過ぎちゃって。

旅館の人：お部屋の準備ができ＿＿＿、ご案内させていただきます。

5
営業：新製品の製作開始はまだですか。

制作：企画が通り＿＿＿、取り掛かります。

6
客：うちの犬、何とかなるでしょうか。

ドッグトレーナー：訓練＿＿＿、どんなバカ犬でも言うことを聞くようになりますよ。

[こたえ] 1.次第 2.次第で 3.次第で 4.次第 5.次第 6.次第で

作ってみよう

「次第」を使って、会話を完成させましょう。

1 本の在庫

客　：この本の下巻が欲しいんですけど。
本屋：申し訳ありません。下巻の発行日は未定なんですが。
客　：じゃ、_____。

2 ツアー

客　　：まだ出発しないんですか。
添乗員：もうしばらくお待ちください。_____
_____。

「次第で」を使って、会話を完成させましょう。

3 就職説明会

学生：御社は学歴を重要視しない、と聞いておりますが、本当でしょうか。
社員：はい。_____。

4 幸せの条件

妹：ねえ、お姉ちゃん、人はみんな幸せになることができるのかな。
姉：_____。

話してみよう

1. 二人は、不動産屋の客と社員です。一日も早く引っ越したい客に、「次第」を使って答えましょう。
2. 二人は、会社の先輩と後輩です。自分の印象を変えたい後輩に、「次第で」を使ってアドバイスしましょう。

8 「どころか」vs「どころではない」

使い方を確認しよう

どころか 予想と現実は大きく異なる ★★

1
あなた本当にメジャーデビューできるの？

2
できるどころかミリオンセラーになるよ
そしたらお風呂のある家に住める？

3
風呂どころかプール付きの家に住めるよ
うれしい！

4
ところで買い物行きたいんだけど千円くれない？
千円どころか百円もないよ

相手が考えていることと現実は異なる、と言いたいときに使います。相手の予想よりも現実のほうがいい場合にも、悪い場合にも使います。どちらにしても、予想と現実は大きく異なっている、ということを強調することができます。

- 母は1カ月前に入院して、まだ、歩くどころか起き上がることもできない。
- 2歳の孫は、話すどころか、もうひらがなの読み書きができる。
- この映画スターは、金持ちどころか、莫大な借金があるらしい。

ミリオンセラー　　million-seller　　销量突破一百万的商品　　밀리언셀러

| 違いは何？ | ・ゆっくり休むどころか、あしたは引っ越しだ。
・ゆっくり休むどころではない。あしたは引っ越しだ。 |

どころではない　その人にとって重大なこと ★★

コマ1: ご飯にしない？／ご飯どころじゃないよ 曲、作らなきゃ……あれ

コマ2: ギターがない

コマ3: 売った　ギターは食べられないから

コマ4: 食べられなかったら曲どころじゃないでしょ？

予定したことが、それよりも重大なことが起きたためにできなくなったときに使います。その人にとって重大なことですから、大変さを強調することができます。

- 夏休みにどこかへ行こうと思っていたが、リストラされて旅行どころではなくなった。
- 寒くて、花見どころではなかった。
- 船酔いで釣りどころじゃない、という人が必ず出てくる。

入れてみよう

次の会話の＿＿＿に、「どころか、」か「どころじゃないよ。」のどちらか、より適切なほうを入れましょう。

1
友A：朝、座れる？ 
友B：座れる＿＿＿＿＿＿乗れないこともあるよ。

2
友A：試験勉強してる？ 
友B：勉強＿＿＿＿＿＿夫婦喧嘩がうるさくて。

3
妻：週末、温泉に行かない？ 
夫：温泉＿＿＿＿＿＿プレゼンの準備しなきゃ。

4
後輩：田中課長って独身ですか。 
先輩：独身＿＿＿＿＿＿5人も子どもがいるよ。

5
友A：彼女、お酒飲めるかなあ。 
友B：飲める＿＿＿＿＿＿底なしだよ。

6
子：ご飯まだ？ 
母：それ＿＿＿＿＿＿ミドリが死にそうなんだから。

[答え] 1 どころか、 2 どころじゃないよ。 3 どころじゃないよ。 4 どころか、 5 どころか、 6 どころじゃないよ。

作ってみよう

「どころか」を使って、会話を完成させましょう。

1 姉の正体

友A：おまえの姉さん、天使みたいに優しいな。
友B：冗談じゃない。＿＿＿＿＿＿＿＿＿＿＿＿＿＿＿＿＿＿＿＿＿＿＿。
友A：うそー。信じられない。

2 水泳の実力

友A：おまえ、泳げる？
友B：＿＿＿＿＿＿＿＿＿＿＿＿＿＿＿＿＿＿＿＿＿＿＿＿＿＿＿＿＿＿＿。
友A：すごいな。

「どころではない」を使って、会話を完成させましょう。

3 大変だ①

女：週末、映画、見に行かない？
男：＿＿＿＿＿＿＿＿＿＿＿＿＿＿＿＿＿＿＿＿＿＿＿＿＿＿＿＿＿＿＿。
女：じゃ、他の人誘うから、いい。

4 大変だ②

友A：就活、始めた？
友B：＿＿＿＿＿＿＿＿＿＿＿＿＿＿＿＿＿＿＿＿＿＿＿＿＿＿＿＿＿＿＿。
友A：それは大変だ。

話してみよう

1. 二人は友達同士です。話しているうちに、貧富の差を感じました。「どころか」を使って話しましょう。

2. 二人は親子です。遊びから帰って来た子どもに、母親が楽しかったか聞きます。「どころではない」を使って、大変だったことを話しましょう。

9 「にかかわらず」vs「にもかかわらず」

使い方を確認しよう

にかかわらず 問題にならない ★★

1 ウチで働きませんか？
ビザの種類にかかわらず雇いますよ
え？

2 技術の有無にかかわらず仕事ができます
は？

3 過去の経歴にかかわらず働けるんですよ
ワタシ ニホンゴ ノー！

4 怖い 危ない 怪しい 何なんだあれは

この表現を使うと、「普通なら問題になることが、ここでは問題にならない。すごいでしょう」とアピールすることができます。すばらしさも厳しさもアピールできます。

- この栽培法を用いると、天候にかかわらず、いつでも収穫できる。
- この宅配会社では、重量にかかわらず、一つの荷物を500円で送ることができる。
- 出欠にかかわらず、会員は会費を払ってください。

違いは何？

- 住民の意見にかかわらず、空港は建設されるだろう。
- 住民の意見にもかかわらず、空港は建設されるだろう。

第1部　言い方が似ている表現

にもかかわらず　結果への非難、驚き　★★

1 （教会の前に立つ女性）

2 一生懸命仕事の紹介をしているのにみんな逃げて行きます

3 だから言ってるでしょう「あなたの言い方は怪しい」「あなたの外見は危ない」って

4 前から忠告しているにもかかわらず改めないからです

前半で述べた状況から普通に考えられることと異なることが続く場合に使います。その状況で、その判断や行動はよくない、と非難したいときに使うと効果的です。新聞の社説など、社会的な出来事に対するコメントによく用いられる表現です。

- 資金がないにもかかわらず事業を広げようとするから、失敗するのだ。
- 確かな証拠がないにもかかわらず逮捕するとは、ひどすぎる。
- 学校は、いじめがあるのを知っていたにもかかわらず、何もしなかった。

入れてみよう

次の会話の＿＿＿に「にかかわらず」か「にもかかわらず」のどちらか、より適切なほうを入れましょう。

1
社員A：卓球は楽しいですね。

社員B：天候＿＿＿＿＿＿＿＿できますしね。

2
社員A：最近、海難事故が多いですね。

社員B：台風が来ている＿＿＿＿＿＿＿＿、遊びに行くからですよ。

3
部下：ぼく、クビですか。

上司：警告した＿＿＿＿＿＿＿＿、遅刻が続きましたよね。

4
母親：うちの子の入れる大学はあるでしょうか。

講師：この学校でしたら、学力＿＿＿＿＿＿＿＿誰でも入れます。

5
弁護士：病院を訴えるんですね。

依頼人：はい。薬害があることを把握していた＿＿＿＿＿＿＿＿、投与し続けたんです。

6
弟子志願者：私を入門させてください。

師匠：かまいませんが、理由のいかん＿＿＿＿＿＿＿＿、一度でも遅れて来たら、破門ですよ。

[こたえ]　1 にかかわらず　2 にもかかわらず　3 にもかかわらず　4 にかかわらず　5 にもかかわらず　6 にかかわらず

作ってみよう

「にかかわらず」を使って、会話を完成させましょう。

1 新しい知事

インタビュアー：知事は、どんな社会をつくっていきたいとお考えですか？
知事　　　　：_____。

2 誕生日プレゼント

姉：お母さんにあげる服、どんなのがいいと思う？
妹：_____。

「にもかかわらず」を使って、会話を完成させましょう。

3 上司

社員A：新しく来た上司、ひどいんですよ。
社員B：え？
社員A：_____。

4 教師の怒り

新任教師：この学校の生徒たちは、幼稚園児以下ですね！
中学校長：は？
新任教師：_____。

話してみよう

1. 二人は、店員と客です。「にかかわらず」を使って、客に商品をすすめましょう。
2. 二人は、大家と住人です。「にもかかわらず」を使って、住人を非難して、出て行ってもらいましょう。

10 「ばかりに」vs「ばかりか」

使い方を確認しよう

ばかりに あの一瞬がこんなことに ★★

コマ1: ん……

コマ2: よかった 気が付いた／あら 私……

コマ3: あのときリンゴをたった一口食べたばかりに倒れてしまって

コマ4: うそばっかり

何げなくしたことが、よくない大変な結果を招いてしまったときに使います。この大変な結果の原因となった「あのとき」を思い出して後悔する気持ちを表します。

- せんべいをかじったばかりに、前歯が欠けた。
- 試験中に携帯電話が鳴ったばかりに、不合格になってしまった。
- あの日、待ち合わせ場所を間違えたばかりに、彼と別れることになってしまった。

| 違いは何？ | ● 雨にぬれたばかりに、風邪をひいてしまった。
● 雨にぬれたばかりか、風邪をひいてしまった。 |

ばかりか　よいこと、悪いことをもう一つ　★★

【1】リンゴをひと口い⁉

【2】10個も食べたばかりかワインを5本も飲んで

【3】そうそう　倒れたんじゃなくて酔いつぶれたんだろ

【4】ハハハハハ！

相手が、自分のした迷惑行為を反省していないとき、一つだけでも悪いことなのにもう一つもっと悪いことをしたのだということを、怒って言うときに使います。また、一つでも悪い／よい状況なのに、もっと悪い／よい状況があるときにも使います。

● 夫は、結婚記念日を忘れていたばかりか、夜遅く、同僚を5人も連れて帰ってきた。
● きのう入った喫茶店では、コップに口紅が付いていたばかりか、中に髪の毛が入っていた。
● このレストランは、コーヒーばかりかワインもお替わり自由だ。

入れてみよう

次の会話の＿＿＿＿に、「ばかりに」か「ばかりか」のどちらか、より適切なほうを入れましょう。

1
妻：どうしたの？　その犬？ 
夫：目が合った＿＿＿＿、連れて来ちゃったんだ。

2
女：どうしたの？　ビショビショじゃない？ 
男：近道しようと思った＿＿＿＿川に落ちたんだよ。

3
教師：私はちょっと注意しただけですけど。 
親：ちょっと注意？　みんなの前でどなった＿＿＿＿、物まで投げつけたでしょう?!

4
兄：ちょっとケータイいじったぐらいでそんなに怒るなよ。 
弟：ふざけるな！　人のメールを勝手に読んだ＿＿＿＿、返信までしやがって！

5
男：なんすか？　オレ何も悪いことしてないすよ。 
警官：何にもしてないだと?!　電気をつけてない＿＿＿＿傘差してケータイ使ってたろ！

6
夫：なんだ？　このセーター？ 
妻：クリーニング代をケチった＿＿＿＿、こんなになっちゃった。

[こたえ]　1 ばかりに　2 ばかりか　3 ばかりか　4 ばかりか　5 ばかりか　6 ばかりに

作ってみよう

「ばかりに」を使って、会話を完成させましょう。

1 会社員の後悔

社員A：急に転勤だって？
社員B：うん。_____。
社員A：サラリーマンは大変だよな。

2 隣人の後悔

隣人A：ここ数日お見掛けしませんでしたけど、ご旅行でしたか？
隣人B：いいえ。_____。
隣人A：それは大変でしたね。

「ばかりか」を使って、会話を完成させましょう。

3 中学生のけんか

教師　　：けんかの原因は何だ？
中学生A：_____！
中学生B：悪かったよ。

4 大学生のけんか

大学生A：おまえ、きのう1日中、オレの彼女と_____
　　　　_____。
大学生B：いいじゃないか。彼女はおまえの奥さんじゃないんだから。

話してみよう

1. 二人は友達同士です。「ばかりに」を使って、後悔している思い出について話しましょう。

2. 二人は友達同士です。落ち込んでいるのを心配する友達に、「ばかりか」を使って理由を話しましょう。

11 「ようものなら」vs「ものなら」

使い方を確認しよう

ようものなら　少しのことが命取り　★★

コマ1: 姫を放せ！／フフフ……

コマ2: 一歩でも動こうものなら

コマ3: どうなる？

コマ4: ケロケロ！／ケロケロケロケロ！

ある行動が大変な結果を招く、というときに使います。その結果がほかの人に起こると言いたいときは、だからそんなことはしないほうがいい、という警告に用いることもでき、自分に起こるときは、その大変さや恐ろしさを強調することができます。

- 信号が青に変わったとき少しでも止まっていようものなら、クラクションを鳴らされる。
- 子どものころ、父は厳しく、一言でも口答えをしようものなら殴られた。
- 今の彼女は嫉妬深く、デート中、ほかの女性を見ようものなら1週間は口を利いてくれない。

違いは何？

- 1日でも休もうものなら、クビにしてやる。
- 1日でも休めるものなら、休んでみろ。

ものなら　できないのが現実　★★

1 ケロケロ

人間の姿に戻れるものなら戻りたい……

2 フフフ　戻せるものなら戻してみろ

3 私がキスをすれば王子は元の姿に……

4 無理無理無理無理無理

無理な要求だとわかっているときに使います。自分の行動に使うときは、自分もそうしたい、でもできない、ということを、諦めや悲しみ、いらだちの思いを込めて表します。ほかの人に使うときは、おまえにはできないだろう、という怒りや侮りを表します。

- 作れるものなら毎日家族のために手料理を作りたいが、仕事が忙しくて当分は無理だ。
- 部長は偉そうに仕事に口を出してくるが、やれるものなら自分でやってみるといいのだ。
- 子どもが病気のとき、母親は、代われるものなら代わってやりたいと思うものだ。

入れてみよう

次の会話の_____に、(　)の動詞を適当な形にして入れましょう。

1
駅放送：お荷物、お体、おひきください。 
(ひく)
乗客：_____ものなら、ひいてるよ。

2
男：もう帰るの？ 
(遅れる)
女：門限が6時なの。1分でも_____ものなら1時間は説教されるから。

3
カニ：あ、それは私の柿。 
(取る)
サル：_____ものなら取ってみろ。

4
召し使い：今度は何をお作りですか。 
(食べる)
魔女：このリンゴを一口でも_____ものなら、イヒヒヒヒ！

5
友A：こんな所に来なきゃよかったね。 
(帰る)
友B：うん。_____ものなら、帰りたいね。

6
友A：どうして両手でつかまってるの？ 
(触れる)
友B：指一本_____ものなら痴漢と間違えられるからね。

[こたえ] 1 ひける　2 遅れよう　3 取れる　4 食べよう　5 帰れる　6 触れよう

作ってみよう

「ようものなら」を使って、会話を完成させましょう。

1 厳しい学校

父　：学校はどうだ？　中学校は、小学校とだいぶ違うか？
息子：厳しくて大変だよ。＿＿＿＿＿＿＿＿＿＿＿＿＿＿＿＿＿＿＿＿＿＿＿＿＿。
父　：そのぐらい厳しいほうがいいんじゃないか？

2 厳しいバイト

友A：新しいバイト始めたんだって？
友B：うん。大変だよ。＿＿＿＿＿＿＿＿＿＿＿＿＿＿＿＿＿＿＿＿＿＿＿＿＿＿＿。
友A：何、始めたの？
友B：家庭教師。

「ものなら」を使って、会話を完成させましょう。

3 社員のボヤキ

社員A：仕事、大変そうですね。
社員B：うん。＿＿＿＿＿＿＿＿＿＿＿＿＿＿＿＿＿＿＿＿＿＿＿＿＿＿＿＿＿＿＿。

4 挑発

友A：おまえにはムリだよ。
友B：できるよ。
友A：じゃあ、＿＿＿＿＿＿＿＿＿＿＿＿＿＿＿＿＿＿＿＿＿＿＿＿＿＿＿＿＿＿＿。

話してみよう

1. 二人は友達同士です。「ようものなら」を使って、恋人の厳しさについて、話しましょう。

2. 二人は夫婦です。旅行に行きたい妻に「ものなら」を使って、休みを取ることの難しさを話しましょう。

12 「たところで」vs「たところ」

使い方を確認しよう

たところで やらなくてもわかる、ムリだ ★

1 今日はA社に行って新商品を売り込んできてください

2 はい!

3 ポーゥ ポーゥ ポーゥ いいんですか?こんなことしてて

4 いいんだよ 行ったところでどうせ売れやしないんだから / でもー

うまくいった経験がなく、諦めないで前向きに最後までがんばろうという気持ちもないために、投げやりに言いたいときに使います。やってみようともしないで、だめな結果を決め付けて言う表現です。

- 父に話したところで、結婚を認めてはくれないだろう。
- 才能がなければ、いくら練習したところでピアニストにはなれない。
- 事故で渋滞しているのだから、焦ったところで始まらない。

違いは何？

- 容疑者の部屋を調べたところで、証拠は残されていないだろう。
- 容疑者の部屋を調べたところ、証拠は残されていなかった。

たところ　報告　★★★

1 A社に伺いましたところ担当者が不在でした

2 私が聞いたところキミたち一日中、公園にいたそうだな？

3 あしたから毎日公園に行っていいから

4 ポーゥ ポーゥ ポーゥ

何かをしたり、あるいは調べたりした結果、得た情報を報告するときに使います。

- ネットで調べたところ、美術館の定休日は月曜日だった。
- 社長に直接交渉したところ、男性社員も1カ月の産休がとれることになった。
- 精密検査をしたところ、腫瘍が発見された。

第1部　言い方が似ている表現

入れてみよう

次の会話の＿＿＿に、「たところで」か「たところ」のどちらか、より適切なほうを入れましょう。

1
部下：課長、今日も飲んで帰るんですか？ 
課長：ああ。早く帰っ＿＿＿＿、オレの飯なんてないし。

2
兄：あしたから期末試験だろ？ いいのか？ ゲームなんかやってて。 
弟：今さら勉強し＿＿＿＿ムダだよ。教科書開いたこともないんだから。

3
社長：家の新築祝いに何人ぐらい来られるか、わかったか？ 
秘書：一人ひとりに聞いてみ＿＿＿＿、全員都合が悪いとのことでした。

4
営業部長：新製品の売れ行きはどう？ 
部下：販売店に問い合わせ＿＿＿＿、全然、売れていないそうです。

5
社長：会長の病気、治るのかなあ。 
専務：きのうお見舞いに伺いまし＿＿＿＿、大変お元気そうでした。

6
妹：あれ？ ダイエットやめたの？ 
姉：うん。がんばってやせ＿＿＿＿、すぐリバウンドするから。

作ってみよう

「たところで」を使って、会話を完成させましょう。

1 会社の現実

夫：もう会社、嫌になっちゃったよ。
妻：どうしたの？
夫：＿＿＿＿＿＿＿＿＿＿＿＿＿＿＿＿＿＿＿＿＿＿＿＿＿＿＿＿＿＿＿＿＿＿＿。

2 年の初め

母：今年の目標、立てた？
子：＿＿＿＿＿＿＿＿＿＿＿＿＿＿＿＿＿＿＿＿＿＿＿＿＿＿＿＿＿＿＿＿＿＿＿。

「たところ」を使って、会話を完成させましょう。

3 引っ越し先

同僚A：大阪に転勤だそうですね。引っ越し先は決まりましたか？
同僚B：ええ。＿＿＿＿＿＿＿＿＿＿＿＿＿＿＿＿＿＿＿＿＿＿＿＿＿＿＿＿＿。

4 スーパーの売り上げ

経営者：では、先月の売り上げが伸びた理由について、報告してください。
店長　：はい。＿＿＿＿＿＿＿＿＿＿＿＿＿＿＿＿＿＿＿＿＿＿＿＿＿＿＿＿＿。

話してみよう

1. 二人は夫婦です。政治のニュースを見ながら、「たところで」を使って話しましょう。
2. 二人は、小学校の校長と、最近、子どもたちの漢字の成績が上がったクラスの担任教師です。成績が上がった理由について、「たところ」を使って、話しましょう。

第1部　言い方が似ている表現

13 「ものの」vs「ものを」

使い方を確認しよう

ものの 予想とは違った ★★

1 あなたはこの子を連れ去ったものの扱いに困った

2 ……ええ

3 そして、捨ててしまおうと思ったもののできなかった

4 ……はい

いろいろ先のことを考えて行動に移し、現実になったとき、予想とは違った、という場合に使います。楽天的に考えていたり、明るい想像をしていたりした場合には、「あれっ、こんなはずじゃなかった」という失意や戸惑いの気持ちを表します。

- 新しいゲームを買ったものの、一緒にやる相手がいない。
- バスを降りてはみたものの、そこから先がわからなかった。
- 希望にあふれて入学したものの、すぐに授業についていけなくなった。

違いは何？

- あの人と結婚して幸せになれたものの、なぜか別れてしまった。
- あの人と結婚していたら幸せになれたものを。なぜ別れてしまったのだろう。

ものを　行いを間違えた ★

1 逃げようと思えば逃げられたものをどうしてそうしなかったのですか？

2 引っかいたり噛みついたりできたものを

3 ぎゅ.

4 どうやらこの子はあなたを愛しているようですよ

相手に、今のこの現実はよくない、あのとき違う行動をとっていればよかった、という不満の気持ちを表すときに使います。今ではもう遅い、どうにもならない、という思いを表しますが、ドラマのセリフのような、芝居じみた言い方になります。

- 知らせてくれたら手伝ったものを。引っ越したなんて全く知らなかった。
- 逃げていたら助かったものを。なぜ、燃えている家に戻ったのか。
- 早く治療していたら治せたものを。もう手遅れだ。

入れてみよう

次の会話の＿＿＿に、「ものの」か「ものを」のどちらか、より適切なほうを入れましょう。

1
イヌ：……
泥棒：騒がなければこんな目にあわなかった＿＿＿。バカな犬め！

2
妻：59歳の警官が、1万円盗んで懲戒免職だって。 
夫：何やってんだろうね。あとちょっとで退職金がもらえた＿＿＿。

3
兄：がんばるぞー！ 
弟：オープンした＿＿＿、客が一人も来ないじゃないか。

4
囚人A：やったー！ 
囚人B：脱獄した＿＿＿、この格好じゃね。

5
お嬢様：雨に降られてずぶぬれだー 
執事：連絡してくだされば、お迎えに参りました＿＿＿。さ、さ、早くお着替えください。

6
妻：家賃どうする？ 
夫：あした払うと言った＿＿＿、これじゃ全然足りないよな。

[こたえ] 1 ものを 2 ものを 3 ものの 4 ものの 5 ものを 6 ものの

60

作ってみよう

「ものの」を使って、会話を完成させましょう。

1 予定外
友A：この映画の試写会のチケット、いらない？
友B：え？　いいの？
友A：うん。_____。

2 予想外
友C：バイト、始めたんだって？
友D：それがね、_____。
友C：つまり、もうやめたのね。

「ものを」を使って、会話を完成させましょう。

3 クビ
友A：仕事、クビになっちゃった。
友B：_____。

4 中退
先輩：大学、辞めたんだって？
後輩：はい。経済的に苦しくて。
先輩：_____。

話してみよう

1. 二人は、高校卒業10年後に開かれた同窓会で再会したクラスメートです。その後の生活について、「ものの」を使って、話しましょう。
2. 二人は、友達が大変だったことを後になって知った人と、その当人です。「ものを」を使って話しましょう。

14 「ずにはおかない」vs「ずにはいられない」

👉 使い方を確認しよう

ずにはおかない　このままでは終わらせない　★

1 私にも柿をとって下さい／ああん？

2 ほーらよ／お母さーーん!!

3 お母さんの敵をとるんだ　絶対とってやる

4 とらずにはおかないぞ／とるのは柿じゃなくて敵でしょう!

このままでは終わらせない、そんなことは許せない、という気持ちのときに使います。ひどいことをされて、復讐心に燃えているときの気持ちも表すことができます。

- この轢き逃げ犯を捕まえずにはおかない。
- 慰謝料を取らずにはおかない。
- 盗まれたものを取り戻さずにはおかない。

敵をとる　　take revenge　　報仇　　원수를 갚다

違いは何？	● 子どもの喫煙は、やめさせずにはおかない。 ● 子どもの喫煙は、やめさせずにはいられない。

ずにはいられない　行動が抑えられない ★★

1 朝から飲んでどうしたんだ？

2 オレは命を狙われてるんだ　怖くて飲まずにはいられないよ

3 アハハハハハハハ

4 「猿も木から落ちる」これが笑わずにいられるか

頭ではわかっていても、行動が抑えられないときに使います。そのときの感情や、やりたいという思いが強過ぎて、コントロールすることができない状態を表します。

● 負けたのが悔しくて、泣かずにはいられなかった。
● あまりの痛みに、叫ばずにはいられなかった。
● 子どものことが心配で、日記を盗み読みせずにはいられない。

入れてみよう

次の会話の＿＿＿に、「おかない」か「いられない」のどちらかより適切なほうを、必要なら形を変えて入れましょう。

1
刑事：またおまえか。 
ドロボー：すいません。財布を見ると、取らずには＿＿＿＿て。

2
女：じゃあね。もう二度と会うことはないでしょうね。 
男：うん。会わずには＿＿＿＿なんてころが信じられないよ。

3
妻：誰?!　うちの塀にこんな……。 
夫：犯人を捕まえずには＿＿＿＿ぞ！

4
友A：結婚詐欺にあったんだって？ 
友B：あの女、見つけ出さずには＿＿＿＿からな。

5
友A：わー雪だー。 
友B：こんなふうにやらずには＿＿＿＿！

6
暴力団：夜逃げされただと？借金、踏み倒されたのか？ 
子分：大丈夫です。全額、返済させずには＿＿＿＿から。

[こたえ] 1 いられなく　2 いられない　3 おかない　4 おかない　5 いられない　6 おきません

作ってみよう

「ずにはおかない」を使って、会話を完成させましょう。

1 陸上部

副部長：今年入ってきた部員たち、やる気なさそうだなあ。
部　長：＿＿＿＿＿＿＿＿＿＿＿＿＿＿＿＿＿＿＿＿＿＿＿＿＿＿＿＿＿＿＿＿＿＿＿。

2 休み時間の出来事

中学生A：あ、また教科書に落書きされてる。
中学生B：ひどいな。
中学生A：＿＿＿＿＿＿＿＿＿＿＿＿＿＿＿＿＿＿＿＿＿＿＿＿＿＿＿＿＿＿＿＿＿＿。

「ずにはいられない」を使って、会話を完成させましょう。

3 嫉妬

男：またおれの携帯、見ただろう。見るなって言ってるだろう。
女：＿＿＿＿＿＿＿＿＿＿＿＿＿＿＿＿＿＿＿＿＿＿＿＿＿＿＿＿＿＿＿＿＿＿＿＿。

4 ナンパ

男A：お嬢さん、お茶でもいかが。
男B：おまえ、よくそんなに声掛けられるな。
男A：＿＿＿＿＿＿＿＿＿＿＿＿＿＿＿＿＿＿＿＿＿＿＿＿＿＿＿＿＿＿＿＿＿＿＿。

話してみよう

1. 不良グループAとBがけんかをして、Aが負けてしまいました。Aのメンバー同士で、「ずにはおかない」を使って、悔しさをぶつけ合いましょう。
2. 二人は、遠距離恋愛中です。「ずにはいられない」を使って、電話でラブラブなやりとりをしましょう。

15 「ではあるまいし」vs「まい」

使い方を確認しよう

ではあるまいし　違うんだから　★

【1】ひとつよろしく／む

【2】賄賂など受け取っては……／聖人君子ではあるまいし

【3】（猫が魚を見つける場面）

【4】ぬふふふふふふふふ！／誰もがやっていることだよ

前半で聞く人がイメージしやすい例を出し、後半では、あなたはその例ではないのだからやっていることは変だ、あるいは、私はその例ではないのだからそんなことはできないと言いたいときに使います。現実は甘くない、と言いたいときにも使います。いずれも、皮肉の込もったきつい言い方です。

- 子どもではあるまいし、ブランコに乗って喜んでいるんじゃない。
- ブタじゃあるまいし、こんな残飯、食えるか。
- おとぎ話ではあるまいし、どんなに待っても王子様は現れない。

聖人君子　saint　圣人君子　성인군자

| 違いは何？ | ● 精神科医ではあるまいし、おまえに心の病は治せない。
● 精神科医ではあるまい。おまえに心の病は治せない。 |

まい　ないだろう　★★

1　おまえも嫌いではあるまい

2　大

3　好

4　き

「〜ないだろう」という意味ですが、会話で「〜まい」と言い終わると、時代劇や舞台の台詞のようになってしまいます。「と思う」を付ければ現在でも言うことがありますが、その場合、公の場での重々しさを演出した表現です。

● 誰かを犠牲にして成功しても、幸せにはなれまい。
● 宇宙旅行も夢ではあるまい。
● 多くの人の努力により、助かるまいと思われた命が救われた。

入れてみよう

次の会話の＿＿＿に、「まいし」か「まい」のどちらか、より適切なほうを入れましょう。

1
弟：釣れないね。 
兄：白熊ではある＿＿＿、こんなとこでじっとしてたら死んじゃうよ。帰ろう。

2
王子：これはこのようにするのか？ 
執事：いえ、そのようにして遊ぶものではある＿＿＿と思われます。

3
夫：ンー 
妻：煙突じゃある＿＿＿、今に鼻の中がすすだらけになるよ。

4
部下：次期社長が決まりました。田中取締役です。 
鈴木取締役：バカな。やつはトップの器ではある＿＿＿。

5
友A：宿題の自画像、できた？ 
友B：できないよ。ゴッホじゃある＿＿＿。

6
町娘：助けてくださり、誠にありがとうございます。 
侍：あの男、二度と現れ＿＿＿。安心いたせ。

[こたえ] 1まいし 2まい 3まいし 4まい 5まいし 6まい

作ってみよう

「ではあるまいし」を使って、会話を完成させましょう。

1 ファッション

姉：どう、この服？
妹：何、それ？_____？
姉：ひっどーい！

2 空腹

友A：ねえ、お腹すいた。何か作って。
友B：_____。

「まい」を使って、会話を完成させましょう。

3 ボクシング

アナウンサー：いやあ、全く予想外の試合となりましたね。
解説者　　　：ええ。_____。
アナウンサー：挑戦者がチャンピオンにKO勝ちする、という結果に終わりました。

4 予想外の喜び

友A：ずいぶんうれしそうだけど、どうしたの？
友B：_____。
友A：それはよかったね。

話してみよう

1. 二人は友達同士です。びっくりするような出来事を見たり聞いたりして、それを話す友達に、「ではあるまいし」を使って、答えましょう。
2. 二人は、どこかの高校生の悪い噂を耳にした高校教師と、その教師のクラスの生徒です。「まいと思うが」を使って生徒に問いただしましょう。

第2部

意味が似ている表現

1 「おそれがある」vs「かねない」

使い方を確認しよう

おそれがある 悪いことがあるかもという冷静な判断 ★★★

1 馬の後ろに立つと蹴られるおそれがあります
うそぉー

2 (馬に蹴られる場面)

3 顔の前に手を出すと噛まれるおそれがあります
ほんとー？

4 (馬に噛まれる場面)

百パーセントではないけれど、悪いことが今、あるいは、これからあるかもしれない、というときに使います。これまでのデータやプロセスから考え出された判断を、冷静に伝えます。

- この病気の感染は、今後、広がるおそれがある。
- 台風の影響が野菜の値上げに及ぶおそれがある。
- 森林破壊が続けば、絶滅する動物が増えるおそれがある。

違いは何？	● この会社は、倒産するおそれがある。 ● この会社は、倒産しかねない。

かねない　個人的な悪い予想　★★

1
馬の係の人が
やるなって言った
ことをやって
ケガしたバカが
いるんだって？

2
勇太！
こら勇太！

3
勇太ーっ！！

4
勇太じゃない？
うん　勇太なら
やりかねないね

その人の性格や、出来事の推移を考えると、普通ならしないようなことをする可能性がある、と言いたいときに使います。特に、悪いことをしても不思議じゃない、という思いを表します。この表現を使うと、その人をどう思っているかわかってしまうので、注意が必要です。

● あいつなら人のものを盗みかねない。
● 今のあの人は、自殺しかねないから、目を離さないほうがいい。
● 彼は、ゲームのためなら仕事も休みかねない。

入れてみよう

次の会話の＿＿＿に、（ ）の動詞と、「おそれがある」か「かねない」のどちらか、より適切なほうを使い、必要なら形を変えて入れましょう。

1
母：一郎がいないけど、まさかこんな台風の日に海に行ったりしないよね？

（行く）
父：いや、あいつなら＿＿＿＿＿＿＿＿＿＿。

2
友A：いくらアケミが大食いでも、ラーメン10人分は無理だよね？

（食べる）
友B：いや、彼女なら＿＿＿＿＿＿＿＿＿＿よ。

3
母親：どうしてうちの子を隔離するんですか。

（感染する）
医者：他の患者さんに＿＿＿＿＿＿＿＿＿＿からです。

4
夫：山田大臣が「女はみんなバカだ」って言ったらしいよ。

（言う）
妻：あの大臣なら＿＿＿＿＿＿＿＿＿＿ね。

5
営業：X-1を回収するんですか。

（発火する）
開発者：＿＿＿＿＿＿＿＿＿＿んです。

6
客：建て替えなきゃだめですか。

（倒壊する）
業者：＿＿＿＿＿＿＿＿＿＿からね。

[こたえ] 1 行きかねない 2 食べかねない 3 感染するおそれがある 4 言いかねない 5 発火するおそれがある 6 倒壊するおそれがある ※個人差がそれぞれあります

作ってみよう

「おそれがある」を使って、会話を完成させましょう。

1 駆け込み乗車
駅員A：電車の駆け込み乗車は、ほんとにやめてほしいですね。
駅員B：ええ。＿＿＿＿＿＿＿＿＿＿＿＿＿＿＿＿＿＿＿＿＿＿＿＿＿＿＿＿＿＿＿＿＿＿。

2 台風の話題
アナウンサー：南の海上に、大型の台風が発生していますね。
気象予報士　：＿＿＿＿＿＿＿＿＿＿＿＿＿＿＿＿＿＿＿＿＿＿＿＿＿＿＿＿＿＿＿＿＿＿。

「かねない」を使って、会話を完成させましょう。

3 悪賢い社長
妻：金融会社Aの社長が脱税の容疑だって。
夫：＿＿＿＿＿＿＿＿＿＿＿＿＿＿＿＿＿＿＿＿＿＿＿＿＿＿＿＿＿＿＿＿＿＿＿＿＿。
妻：うん。お金に汚そうだもんね。

4 キレる学生
教師A：昔の子どもたちは、注意したらすぐ謝ったものですがね。
教師B：近ごろは危なくて注意できませんよね。
教師A：ええ。＿＿＿＿＿＿＿＿＿＿＿＿＿＿＿＿＿＿＿＿＿＿＿＿＿＿＿＿＿＿＿。

話してみよう

1. 二人は、健康診断を受けた人と、その医者です。「おそれがある」を使って、診断結果について話しましょう。
2. 二人は、会社の業績に不安を抱く会社員です。「かねない」を使って、話しましょう。

第2部　意味が似ている表現

2 「ないわけにはいかない」 vs 「ざるをえない」

使い方を確認しよう

ないわけにはいかない　だから、やる　★★★

【1】
女の子：お兄さん いい男だね！半額にしちゃうよ
とっても甘いリンゴだよー

【2】
男：じゃあ買わないわけにはいかないな
（まいどっ）

【3】
男A：なにぃ ケンカ売ってんのか？
男B：どこ見て歩いてんだ

【4】
男：なら買わないわけにはいかないぜ！
女の子：何でも簡単に買う男だね

ほかの人が見て、嫌ならしなければいいと思うことでも、その人にとっては、その理由が優先されるため、するのは仕方がないことだ、というときに使います。また、好きなこと、嫌じゃないことをするときには、この機会を逃せない、という思いを表します。

- いらないものでも、お土産だと言われたら、もらわないわけにはいかない。
- 上司に頼まれたら、手伝わないわけにはいかない。
- 映画好きとしては、今話題の映画を見ないわけにはいかない。

違いは何？
- 会社を建て直すためには、人員整理しないわけにはいかない。
- 会社を建て直すためには、人員整理せざるをえない。

ざるをえない　苦渋の決断　★★

1
てめえ
やるかー!?

2
あの……

3
お二人の様子から……ケンカを始めようとしているその考えざるをえないのですが

4
なんだおまえ
うるせえ引っこんでろ
ひいっ

心情的にはやりたくないが、そうする以外どうにもならない、というときに使います。ほかに選択肢がないと考えて下した決断の、苦しい思いを表します。

- 不正を内部告発されて、認めざるをえなくなった。
- 母は認知症が進んだため、老人ホームに入れざるをえない。
- 不良に脅されて、万引きせざるをえなかった。

入れてみよう

次の会話の＿＿＿＿に、「ないわけにはいかない」か「ざるをえない」のどちらか、より適切なほうを、必要なら形を変えて入れましょう。

1
婚約者：ヒカルさんも結婚式に呼ぶの？

ヒカルの息子：呼ば＿＿＿＿＿＿＿＿＿よ。父親なんだから。

2
隊員：あと少しなのに……。

隊長：天候が急変したんだ。やめ＿＿＿＿＿＿＿＿＿。

3
王子：帰りたくない。

執事：帰ら＿＿＿＿＿＿＿＿＿。王子様なのですから。

4
王子：行きたくない。

執事：行か＿＿＿＿＿＿＿＿＿。王子様なのですから。

5
社員A：これだけニュースになっちゃあね。

社員B：ええ。社長も責任をとら＿＿＿＿＿＿＿＿＿でしょうね。

6
負債者：先祖代々、引き継いできた土地を手放せと？

ヤミ金業者：借金返すためには、売ら＿＿＿＿＿＿＿＿＿でしょう。

[こたえ] 1 ないわけにはいかない 2 ざるをえない 3 ないわけにはいかない 4 ないわけにはいきません 5 ざるをえない 6 ざるをえない

作ってみよう

「ないわけにはいかない」を使って、会話を完成させましょう。

1 下校

友A：どうする？　こっち見て、手振ってるよ。
友B：_____。
友A：うん、校長だもんな。

2 退社

妻：遅かったじゃない。早く帰るって言ってたのに。
夫：_____。

「ざるをえない」を使って、会話を完成させましょう。

3 禁煙

友C：あんなにヘビースモーカーだったのに、よくタバコやめたね。
友D：_____。

4 ぼったくりバー

友E：ビール1杯飲んだだけで、5万円も払ってくるなんて、バッカじゃないの？
友F：_____。

話してみよう

1 二人は友達同士です。「わけにはいかない」を使って、上下関係の大変さについて話しましょう。

2 二人は友達同士です。「ざるをえない」を使って、辛い思い出について話しましょう。

3 「ばかりでなく」vs「のみならず」

使い方を確認しよう

ばかりでなく それはもちろん、さらにほかのものも ★★★

1. この家は主ばかりでなく
2. 使用人もよく肥えている
3. 繁盛しているようだな / うむ よいことだ
4. ここにしよう

普通に考えられるものはもちろん、それに加えてさらにほかのものも、と言いたいときに使います。また、意外なものを目にしたとか、意外なこともできる、と言いたいときにも使います。

- 中学生のときの恩師は、勉強ばかりでなく、生き方も教えてくれた。
- 彼女は、容姿ばかりでなく、立ち居振る舞いも美しい。
- 近所の八百屋では、野菜ばかりでなく、お惣菜も売っている。

違いは何？
- 喫煙は、本人ばかりでなく、周囲の人にも害を及ぼす。
- 喫煙は、本人のみならず、周囲の人にも害を及ぼす。

のみならず　もっとひどいこと、すごいことも ★★

1. 盗みに入ったその家で
2. その家の主のみならず 非力な女子どもまで 手にかけ殺める その所業
3. 極悪非道！ 言語道断！
4. 市中引き回しの上 打ち首獄門っ!!

これ一つでも悪い／よいのに、もっと悪い／よいことがあると言いたいときに使います。主に書き言葉として使われますが、時代劇のセリフとしても効果的に用いられます。

- その過酷な労働により、彼は肉体のみならず、精神も蝕まれていった。
- その地の豪雪は、住民の日常生活のみならず、生命までも脅かしていた。
- 留学は語学の習得のみならず、自立心を養うことができる。

極悪非道	heinous	极为恶劣	극악무도	
言語道断	outrageous	岂有此理；荒谬	언어도단	
市中引き回し	dragging a criminal through the streets	游街示众	윤형 (죄인을 큰길을 따라 각 읍으로 끌고 다니며 욕보이던 형벌)	
打ち首獄門	putting a criminal's decapitated head on display	斩首示众	효수 (죄인의 목을 베어 높은 곳에 매달아 놓는 형벌)	

入れてみよう

次の会話の_____に、「ばかりでなく」か「のみならず」のどちらか、より適切なほうを入れましょう。

1
客：なんだ、包丁か。
実演販売：これは、肉、魚、野菜_____、まな板も切れるんです。

2
社員：えー？ クビっすかあ？
上司：きみは、備品_____、商品まで持ち出していたそうじゃないか。

3
社員A：まさか！ あの部長が?!
社員B：年齢_____、学歴まで詐称していたそうですよ。

4
妻：じゃ、さよなら。
夫：妻_____、ペットにまで捨てられるとは……。

5
上司：新しい企画？
部下：はい。女性_____男性もターゲットにした口紅です。

6
客：ここの温泉は胃腸に効くそうですね。
温泉宿主：はい。お入りになる_____、お飲みになることもできるんですよ。

[こたえ] 1 ばかりでなく 2 のみならず 3 のみならず 4 のみならず 5 ばかりでなく 6 ばかりでなく

作ってみよう

「ばかりでなく」を使って、会話を完成させましょう。

1 100円ショップの商品

友A：100円ショップってすごいね。
友B：＿＿＿＿＿＿＿＿＿＿＿＿＿＿＿＿＿＿＿＿＿＿＿＿＿＿＿＿＿＿＿！
友C：知らなかったの？

2 パソコンの機能

友A：最近のパソコンって、すごいね。
友B：うん。＿＿＿＿＿＿＿＿＿＿＿＿＿＿＿＿＿＿＿＿＿＿＿＿＿＿＿！
友C：知らなかったの?!

「のみならず」を使って、会話を完成させましょう。

3 交通違反

運転手：見逃してください。
警官　：ダメです。＿＿＿＿＿＿＿＿＿＿＿＿＿＿＿＿＿＿＿＿＿＿＿＿。
運転手：反省してます。

4 教師の怒り

校長：あの生徒に何か問題でも？
担任：＿＿＿＿＿＿＿＿＿＿＿＿＿＿＿＿＿＿＿＿＿＿＿＿＿＿＿＿＿！
校長：そんなに素行が悪いのですか……。

話してみよう

1. 二人は、買い物に来た客と、商品の長所を説明する店員です。「ばかりでなく」を使って、話しましょう。
2. 二人は、授業で戦争の悲惨さについて発言する学生です。「のみならず」を使って、話しましょう。

4 「反面」vs「一方で」

使い方を確認しよう

反面 一つのことについてのプラスとマイナス　★★★

1. うちの子、幼稚園ではどんな様子ですか？／……そうですね
2. 好奇心が強い反面
3. 飽きっぽいところがありますね
4. （走り去る様子）

何か一つのことを分析し、特徴を捉えてみたら、いい点と悪い点が切り離すことのできない状態で存在していることを表します。客観的によいところと悪いところを説明するときに使います。

- このメイクは、理知的に見える反面、冷たい印象を与える。
- この県の人たちは、おおらかである反面、時間にルーズだといわれている。
- この調理器具は、機能が多い反面、使いこなすのに時間がかかる。

違いは何？
- 彼は面倒見がいい反面、人を自分の思い通りにしようとする。
- 彼は面倒見がいい一方で、人を自分の思い通りにしようとすることがある。

一方で　並行して現れる二つの行動や感情 ★★

1
「いろいろご迷惑をお掛けしているんでしょうね」
「いえ」

2
でもウサギの世話をする一方で

3
いじめることがあるんですよ

4

ある人において、二つの行動や感情が、時と場により並行して現れることを知り、その人のことを話すときに使います。

- 卒業生は、別れを惜しむ一方で、新生活に向けて胸を弾ませていた。
- 父は、家庭を大切にする一方で、一人で過ごすのを好んだ。
- ニコニコと愛想を振りまく一方で、容赦なく悪を成敗する人物が主人公のドラマがあった。

入れてみよう

次の会話の＿＿＿＿に、「反面」か「一方で」のどちらか、より適切なほうを入れましょう。

1
社員A：部長は、アメとムチの使い分けがうまいですよね。 
社員B：厳しくする＿＿＿＿、ほめることも忘れませんからね。

2
社員A：課長は体に気を使っているのかいないのか、よくわかりませんね。 
社員B：自然食品にこだわる＿＿＿＿、酒とタバコが大好きですからね。

3
客：チーターはかっこいいですね。 
飼育係：ええ。でもチーターは、足が速い＿＿＿＿、短時間しか走れないのです。

4
研究者A：完成ですね。 
研究者B：いや。この養毛剤は、強力な＿＿＿＿、男性ホルモンを減少させます。

5
教授A：ロボットを改良したんですか。 
教授B：う〜ん。このチップを入れると、感情が出る＿＿＿＿、判断力が低下するんですよ。

6
社員A：部長はケチなのか気前がいいのか、どっちなんでしょう。 
社員B：1円まで割り勘にする＿＿＿＿、タクシー代を払ってくれたりするんですよね。

[こたえ] 1-いっぽうで 2-はんめん 3-はんめん 4-いっぽうで 5-はんめん 6-いっぽうで

作ってみよう

「反面」を使って、会話を完成させましょう。

1 リーダーの資質
部長：今度のプロジェクトのリーダー、佐藤君はどうだろう？
課長：佐藤君は、_____。
部長：リーダーを選ぶのは難しいな。

2 スーツケースの特徴
客　：どのスーツケースにしようかな。これは？
店員：_____。
客　：うーん。どうしようかなあ。

「一方で」を使って、会話を完成させましょう。

3 老人ホーム経営者の行状
警官A：この女、何をして捕まったんですか。
警官B：_____。
警官A：老人を食い物にするなんて、許せませんね。

4 生活指導教員の行状
警官A：この男、何をして捕まったんですか。
警官B：_____。
警官A：教師がそんなハレンチなことを?!

話してみよう

1 二人は同僚です。「反面」を使って、新製品の長所と短所について話しましょう。

2 二人は友達同士です。「一方で」を使って、言っていることとやっていることが違う人について話しましょう。

第2部　意味が似ている表現

5 「をきっかけに」vs「を契機に」

使い方を確認しよう

をきっかけに 思い返せばあれが始まり ★★★

[1] おまえ……俺の彼女といつの間に

[2] （驚く彼女）

[3] （ぶつかって袋を落とす）

[4] うちの店の袋をきっかけにそういう仲に

相手の趣味や職業、現在の様子に興味を持ち、その始まりが何だったのか聞きたいときに使います。また、どうして始めたのか聞かれたときや、思い返してその始まりを教えるときにも使います。

- 彼女は、道でスカウトされたのをきっかけにモデルになった。
- 避難訓練をきっかけに、アパートの人たちと仲良くなった。
- 市民センターの文化体験をきっかけに、和太鼓を習いはじめた。

違いは何？	● 健康診断の結果をきっかけに、夜遅く食べるのをやめた。 ● 健康診断の結果を契機に、夜遅く食べるのをやめた。

を契機に　　何かをする強い動機　　★★

1 （イラスト：店長就任の場面）

2 私の店長就任を契機に

3 過剰包装をやめることにしました　はい！

4 特に袋の類は一切、使用禁止です　なぜ?!

何かをする強い動機ができた、というときに使います。実行した場合はちょうどいい機会だったことを、これからやろうとする場合はこれがいい機会であることを、アピールします。

● マンション購入を契機に、車を買い換えた。
● 夫の定年を契機に、離婚を申し出る妻もいる。
● これは、新幹線開通を契機に作られた、県のキャラクターグッズだ。

| 過剰包装 | excessive packaging | 包装过剰 | 과잉포장 |

89

入れてみよう

次の会話の_____に、「きっかけ」か「契機」のどちらか、より適切なほうを入れましょう。

1
A社社員：御社の名前は「大川」でしたよね。 
B社社員：ええ。海外進出を_____に、変更したんです。

2
A社社員：以前伺ったときは、皆さん、制服でしたよね。 
B社社員：ええ。会長の引退を_____に、廃止されたんです。

3
友A：タバコ、やめたんだ？ 
友B：煙にむせたのを_____にやめたんだ。

4
友A：おまえが彼女と別れるとは思わなかったよ。 
友B：レストランでの食事を_____に、熱が冷めたんだよ。

5
工場長：社長、何でしょう？ 
社長：今度の工場移転を_____に、工場の無料見学を始めようと思います。

6
友A：どうして消しゴムなんか集めてるの？ 
友B：誕生日に妹からもらったのを_____に、集めはじめたんだ。

[こたえ] 1 契機　2 契機　3 きっかけ　4 きっかけ　5 契機　6 きっかけ

作ってみよう

「をきっかけに」を使って、会話を完成させましょう。

1 バーテンダー

客　　　　　：どうしてこの店のバーテンダーになったの？
バーテンダー：_____。
客　　　　　：そうなんだ。

2 味噌

友A：すごいね。この味噌、自分で造ったんだ。でも、どうして始めたの？
友B：_____。
友A：私にも造り方教えて。

「を契機に」を使って、会話を完成させましょう。

3 料理教室

入会希望者：最近、男性の生徒さんが増えているということですが。
受付　　　：_____。

4 転職

先輩社員：会社を辞めるんだって？
後輩社員：_____。

話してみよう

1 二人は友達同士です。「をきっかけに」を使って、趣味を始めたときについて話しましょう。

2 二人は、レストランの責任者と従業員です。「を契機に」を使って、店の景気回復について話しましょう。

6 「かねる」vs「わけにはいかない」

使い方を確認しよう

かねる 「できない」のビジネストーク ★★

1 商社からはいつごろから接待を受けていたんですか

2 お答えしかねます

3 記憶にございません／何も答えないで何のために記者会見を開いたんですか

4 お答えしかねます／どんな接待を受けていたんですか

公の場で、「できない」と直接言うことが、立場上ふさわしくないときに使います。丁重ですが、きっぱりとした拒否の返答です。会社や店などで使われることが多いです。

- その件については、私の一存では決めかねます。
- 社長の発言の真意は、測りかねます。
- 立場上、謝礼は受け取りかねる。

| 違いは何？ | ● この資料はお見せしかねます。
● この資料はお見せするわけにはいきません。 |

わけにはいかない　しない事情があるのだ　★★★

1
「大臣」
「あの記者会見はマズいでしょう」

2
「政治生命の危機です」
「それでもどんな接待を受けていたかは言えないのだ」

3
「この私にもですか」
「そう君にも誰にも」

4
「言うわけにはいかない　妻に知れたら　生命そのものの危機になるもの」

もしそんなことをしたら大変なことになる、だから絶対しない、というときに使います。その人にとっては、しない理由が絶対的な意味を持っているのです。

● どんなにおかしくても、お葬式で笑うわけにはいかない。
● 幼い子どもを残して、死ぬわけにはいかない。
● 明日は、内定がもらえるかどうかの面接だから、絶対に遅れるわけにはいかない。

入れてみよう

次の会話の＿＿＿に（　）の動詞と、「かねる」か「わけにはいかない」のどちらかより適切なほうを使い、必要なら形を変えて入れましょう。

1
客：洗濯機で洗ったら縮んじゃって。取り替えてくれる？ 
（取り替える）
店員：それは＿＿＿＿＿＿＿＿＿＿。

2
客：このソースのレシピ、教えてほしいんだけど。 
（教える）
シェフ：それは＿＿＿＿＿＿＿＿＿＿。

3
妻：わ、高い熱。今日は会社は無理ね。 
（休む）
夫：いや、＿＿＿＿＿＿＿＿＿＿。大事な会議があるんだ。

4
客：これ、送りたいんだけど。 
（引き受ける）
店員：危険物は、＿＿＿＿＿＿＿＿＿＿。

5
友A：水着に着替えないの？ 
（見せる）
友B：こんな体、＿＿＿＿＿＿＿＿＿＿。

6
女：私たち、結婚するの、やめない？ 
（やめる）
男：＿＿＿＿＿＿＿＿＿＿。招待状、出しちゃったんだから。

[こたえ] 1 取り替えかねます　2 お教えしかねます　3 休むわけにはいかない　4 お引き受けしかねます　5 見せるわけにはいかない　6 やめるわけにはいかない

作ってみよう

「かねる」を使って、会話を完成させましょう。

1 子ども
客　　　　：すぐ戻るから、この子、ちょっと預かってくれない？
ホテルの人：_____。

2 花瓶
大金持ちの客　　：いい花瓶ですね。いくらでも出しますから、売ってもらえませんか。
老舗旅館の女将：_____。

「わけにはいかない」を使って、会話を完成させましょう。

3 試験中
学生：先生、この読み方がわかりません。
教師：_____。

4 研究
友A：ずいぶん疲れてるみたいだね。研究、大変なんだろ。もうやめればいいのに。
友B：_____。

話してみよう

1 二人は、違う会社の会社員です。「かねる」を使って、契約について話しましょう。

2 二人は小学生の兄弟です。兄は責任感が強く、弟は面倒臭いことが嫌いです。「わけにはいかない」を使って、話しましょう。

7 「に伴って」vs「に従って」

使い方を確認しよう

に伴って　ある出来事にもう一つの出来事がついてくる　★★

【コマ1】進水式に伴って餅つきを行います
【コマ2】（うさぎたちが餅つきをしている）
【コマ3】宇宙船ウサマル　発進!!
【コマ4】（宇宙空間を進む小舟）

新たな事態が生じ、そのためもう一つ、新たな事態が起きてくる、というとき使います。社会的な話題に用いられる表現で、全体的に硬い印象になります。

- トンネル開通に伴って、二つの市が合併された。
- 財政悪化に伴って、税率の見直しが始まった。
- 史跡の世界遺産登録に伴って、その地の駅構内が改装されることになった。

進水式　　ship-lau　　下水仪式　　진수식

違いは何？	● 前線の北上に伴って、大雨の範囲が広がる。 ● 前線の北上に従って、大雨の範囲が広がる。

に従って　ある変化にもう一つの変化がついてくる　★★★

1　（イラスト：宇宙で舟を漕ぐ人物）

2　漕ぎ進むに従って流れ星の数が増えていきます

3　もう何を願っていいのかわかりません！

4　星の数だけの幸福を

何かが変化すると、それと一緒に変化することがあるときに使います。自分で調べたり、経験したり、観察したりして、知った事実や感じたことを伝えたいときに使います。

- 生活が苦しくなるに従って、二人の仲は冷えていった。
- 年をとるに従って、昔の記憶がよみがえってくる。
- 父はその日、酔いが回るに従って、饒舌になっていった。

入れてみよう

次の会話の_____に、「に伴って」か「に従って」のどちらか、より適切なほうを入れましょう。

1
職員：市長、この資料をご覧ください。

市長：人口の減少_____、財政が悪化していますね。

2
社長：いつもと道が違いますね。

運転手：マラソン開催_____、道路が規制されているんです。

3
社員：この着ぐるみを着るんですか。

上司：ええ。新商品の発売_____、宣伝イベントが開かれるので。

4
議員：早く何か対策を考えて世界にアピールしなくては。

大臣：ええ。温暖化が進む_____、我が国に対する風当たりが強くなっていますからね。

5
知事：次期出馬は諦めましょうか。

秘書：いいえ。景気が回復する_____、支持率が上がってきています。

6
客：あれっ？ 量が少ない。

弁当屋：材料費の値上がり_____、中身が変更されました。

[こたえ] 1 に従って 2 に伴って 3 に伴って 4 に従って 5 に従って 6 に伴って

作ってみよう

「に伴って」を使って、会話を完成させましょう。

1 映画スターの来日

知人A：もうすぐ、話題の超大作が公開されますね。
知人B：ええ。_____。

2 町の合併

助役：隣町との合併が決まって、いろいろと大変ですね。
町長：ええ。_____。

「に従って」を使って、会話を完成させましょう。

3 責任の重さ

会社役員A：平社員のころは気楽でよかったですね。
会社役員B：_____。
会社役員A：地位が上がるのも良し悪しですね。

4 女の変化

男A：今度の彼女とも別れたのか？ どうして続かないんだ？
男B：どの女も、_____。
男A：女なんてみんな、そんなもんだろ？

話してみよう

1 二人は、オリンピック開催地の住民です。「に伴って」を使って話しましょう。

2 二人は会社員です。コンピューターが発達したことによる、よい点と悪い点について、「に従って」を使って、話しましょう。

8 「つつある」vs「一方だ」

👉 使い方を確認しよう

つつある　変化の始まり　★★

1
船長 正体不明の艦が接近しつつあります！

2
敵か?!
わかりません

3
(閃光と宇宙船の場面)

4
(うさぎがボートを漕ぐ場面)

少しずつ変化が起こりはじめた、そしてその変化はこれからも続くだろう、と思われるときに使います。家族や友達など、近しい間で用いられる表現ではなく、データを示しながら報告したり説明したりする場で用いられる表現です。

- 桜の蕾がふくらみつつある。
- 手術後1週間たって、体力が回復しつつある。
- 低気圧が発達しつつあるので、注意を要する。

違いは何？
- この地域では、高齢化が進みつつある。
- この地域では、高齢化が進む一方だ。

一方だ　止まることなく突き進む　★★★

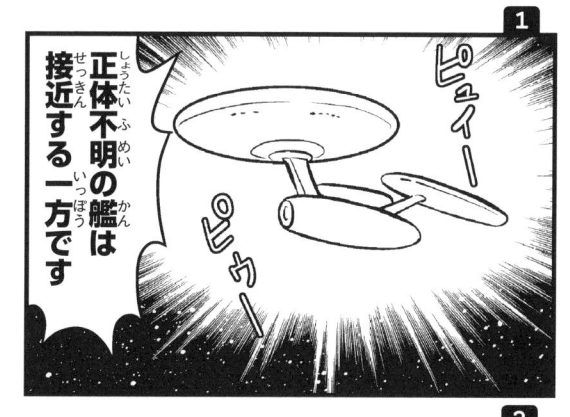

1 正体不明の艦は接近する一方です　ピィー　ピュー

2 このままでは衝突します！

3 （クマのキャラクター）

4 了解 攻撃準備！　撃ち落とせ

すでに始まっている変化の勢いが、衰えることなく続いているときに使います。いい方向に向いているときは、誰もその勢いを止めることはできない、という思いを、悪い方向に向いているときは、早く何とかしなければ困る、という思いを表します。

- 祖父は、物忘れがひどくなる一方だ。
- このゲームの人気は、高まる一方だ。
- 人員整理の影響で、仕事が忙しくなる一方だ。

第2部　意味が似ている表現

入れてみよう

次の会話の＿＿＿に、（　）の動詞と、「つつある」か「一方だ」のどちらかより適切なほうを使い、必要なら形を変えて入れましょう。

1
娘：お父さん、最近、髪、薄くない？
（ぬける）
父：うん、＿＿＿＿＿＿＿＿＿＿よ。

2
会長：経費は？
（増える）
社長：＿＿＿＿＿＿＿＿＿＿。

3
娘：お父さん、また太ったでしょ?!
（太る）
父：うん、もう、＿＿＿＿＿＿＿＿＿＿。

4
会長：経営状態は？
（悪化する）
社長：＿＿＿＿＿＿＿＿＿＿。

5
村人A：火の勢いがすごいですね。
（燃え広がる）
村人B：＿＿＿＿＿＿＿＿＿＿よ。
どうしましょう。

6
会長：収益は？
（減る）
社長：＿＿＿＿＿＿＿＿＿＿。

[こたえ] 1 ぬける一方だ　2 増えつつあります　3 太る一方だ　4 悪化しつつあります　5 燃え広がりつつあります　6 減る一方です

作ってみよう

「つつある」を使って、会話を完成させましょう。

1 試合前日

校長：選手たちの調子はどうですか？

コーチ：_____。

校長：試合はあしたでしょう？　大丈夫ですか？

2 零細企業

経理：円高の影響で、赤字が続いていましたが……。

社長：……。

経理：_____。

社長：よかった。

「一方だ」を使って、会話を完成させましょう。

3 検査結果

医者：一日も早く手術したほうがいいです。

患者：え……？

医者：_____。

患者：……わかりました。

4 実況中継

ニュースキャスター：現場の田中さん、台風の様子はどうですか？

田中（取材記者）：_____。

話してみよう

1 二人はロボットの製作を行っている研究員です。「つつある」を使って、最近のロボットの進化について話しましょう。

2 二人はニュースキャスターと解説者です。「一方だ」を使って、環境問題について話しましょう。

9 「っぱなし」vs「かける」

使い方を確認しよう

っぱなし 始末をしない ★★

1. 玄関にカバン置きっぱなし
2. お風呂場に服脱ぎっぱなし
3. ふた開けっぱなし
4. 「親の顔が見てみたいわ」「あんただよ」

後始末をしないで放置した状態であるとき使います。他人に使うときは「だらしない」と責める気持ちを表します。自分に使うときは、忘れていたり、面倒くさがったりしたために招いてしまった結果に対して、「やってしまった、どうしよう」という気持ちを表します。

- ポスターを貼りっぱなしにしていたら、壁にあとがついてしまった。
- 姉は、お風呂のお湯を出しっぱなしにして、またあふれさせてしまった。
- 飼い犬をつなぎっぱなしにしていたら、ロープを食いちぎってどこかへ行ってしまった。

違いは何？
- 妹は、牛乳を飲みっぱなしで、学校へ行ってしまった。
- 妹は、牛乳を飲みかけで、学校へ行ってしまった。

かける　まだ途中　★★★

1
ハチは？
エサ食べかけてどっか行っちゃった

2
トラは？
エサ食べかけてどっか行っちゃった

3
お父さんは？
ご飯食べかけてどっか行っちゃった

4
お母さん…また犬と猫と人のご飯間違えて出したんじゃない？

「食べかける」のように、何かを始めても終わりまでいかずに途中でやめてしまったときや、「死にかける」のように、今にもそうなりそうなときに使います。

- 吸いかけのタバコ、飲みかけのコーヒー、彼の身に何があったのだろう。
- うまくいきかけていたのだが、ライバル会社が現れて、契約に失敗した。
- 私は赤ん坊のころ、体が弱くて何度か死にかけたそうだ。

105

入れてみよう

次の会話の＿＿＿＿に、「かけ（て）」か「っぱなし（で）」のどちらか、より適切なほうを入れましょう。

1
男：あの、あの……やっぱり今日はやめた。

女：言い＿＿＿＿やめないでよ。気になるでしょ。

2
夫：ガー

妻：またテレビつけ＿＿＿＿寝てる。もう！

3
姉：これ、あげる。

弟：いらないよ。こんな編み＿＿＿＿の帽子。

4
夫：ベッド買おう。

妻：うん。敷き＿＿＿＿、気持ち悪いもんね。

5
娘：アイスクリーム、冷蔵庫に入ってないよ。

母：あ、袋に入れ＿＿＿＿だった。

6
夫：この牛乳、飲んでも大丈夫かな。

妻：大丈夫、大丈夫。腐り＿＿＿＿がおいしいのよ。

[こたえ] 1 かけて 2 っぱなしで 3 かけ 4 っぱなしで 5 っぱなし 6 かけ

作ってみよう

「っぱなし」を使って、会話を完成させましょう。

1 洗濯物

妻：あ、＿＿＿＿＿＿＿＿＿＿＿＿＿＿＿＿＿＿＿＿＿＿＿＿＿＿＿＿＿＿＿＿。

夫：いつから？

妻：三日前。

夫：洗濯し直したほうがいいんじゃない？

2 うっかり

夫：あーっ！＿＿＿＿＿＿＿＿＿＿＿＿＿＿＿＿＿＿＿＿＿＿＿＿＿＿＿＿。

妻：いつから？

夫：3週間前。

「かける」を使って、会話を完成させましょう。

3 潔癖性

弟：これ、もらってもいい？

姉：＿＿＿＿＿＿＿＿＿＿＿＿＿＿＿＿＿＿＿＿＿＿＿＿＿＿＿＿＿＿＿＿。

弟：じゃ、いらない。

4 宿題

友A：作文できた？

友B：＿＿＿＿＿＿＿＿＿＿＿＿＿＿＿＿＿＿＿＿＿＿＿＿＿＿＿＿＿＿＿＿。

話してみよう

1 二人は、だらしない子と、それを叱る親です。「っぱなし」を使って話しましょう。

2 二人は、飽きっぽい子と、それを注意する親です。「かける」を使って話しましょう。

第2部　意味が似ている表現

10 「ないことには」vs「てからでないと」

使い方を確認しよう

ないことには 始めるには条件がある ★★

1. 早く食べようよー
   ならば手伝え！
2. 薪を集めないことには火がおこせない
3. 火がおこせないことには魚が焼けない　魚が焼けないことには食べられない！
4. えっ？

どんなにやりたい、あるいは、やらなくてはいけないと思っても、それをするには必要な条件がある、その条件がクリアできなければできないのだ、ということを教えます。早くやれと言われた場合も、やりたいと言われた場合も、この時点では無理、という思いを表します。

- 鍵が開かないことには、中に入れない。
- 社長が来ないことには、会議が始められない。
- 船が出ないことには、この島から出て行けない。

違いは何？	● 説明書を読まないことには、使い方がわからない。 ● 説明書を読んでからでないと、使い方がわからない。

てからでないと　まだ早い　★★★

1
いただきまー……
ええーっ!?

2
なんだよ？
いやそれは焼いたほうが

3
その…焼いてからでないと

4
お腹！
お腹壊すから!!

今すぐ何かをやりたがっている、やろうとしているときに、今それをしたらいい結果は得られない、今はまだ早い、と言いたいときに使います。相手に言う場合、ちょっと待って、という思いを伝えます。

● 世の中には、大人になってからでないとわからないことがたくさんある。
● 最近、寒くて、部屋を暖めてからでないと起きられない。
● その服は、もう少しやせてからでないと似合わない。

入れてみよう

次の会話の＿＿＿に、（ ）の動詞と「ないことには」か「てからでないと」のどちらかより適切なほうを使い、必要なら形を変えて入れましょう。

1
友A：この子、かわいいでしょ。

（太る）
友B：もっと＿＿＿＿＿＿＿＿＿＿おいしくないよ。

2
女：私たち、いつになったら結婚するの？

（押す）
男：妻が離婚届に判を＿＿＿＿＿＿＿＿＿＿結婚できないんだよ。

3
A社社員：これがただいまご説明いたしました新製品ですが、御社でいかがでしょうか。

（下がる）
B社社員：金額が＿＿＿＿＿＿＿＿＿＿無理ですね。

4
泥棒A：早く入ろうよ。

（寝る）
泥棒B：みんな＿＿＿＿＿＿＿＿＿＿見つかっちゃうよ。

5
歯科医：もういいでしょう。抜きますよ。

（効く）
患者：いや〜っ！ 麻酔が＿＿＿＿＿＿＿＿＿＿痛いでしょう。

6
母親：私、がんばりますから、うちの子の成績を何とかしてください。

（出す）
教師：お母さんがんばってもねえ。本人がやる気を＿＿＿＿＿＿＿＿＿＿。

[こたえ] 1 太ってからでないと 2 押さないことには 3 下がらないことには 4 寝てからでないと 5 効いてからでないと 6 出さないことには

作ってみよう

「ないことには」を使って、会話を完成させましょう。

1 難問
中学生：この問題、難しくてできないから、次の問題にいきませんか。
家庭教師：_____。
中学生：えー、そーなんですかー。

2 旅行願望
友A：旅行したい。
友B：_____。

「てからでないと」を使って、会話を完成させましょう。

3 伝染
医者：熱は下がったようですが、あと三日は休んでください。
患者：え、そんなに？
医者：ええ。_____。

4 外出
子：早く遊びに連れてってよ。
母：_____。
子：そんなに待てないよ。

話してみよう

1. 二人は、今、停電で困っている家族です。「ないことには」を使って、話しましょう。

2. 二人は、一日も早く結婚したい男と、まだできないと思っている女です。「てからでないと」を使って話しましょう。

11 「にしては」vs「わりに」

使い方を確認しよう

にしては　少し変　★★

[4コマ漫画]
1. このベビー服かわいい／どれ？
2. [指輪のような商品を見せる]
3. ベビー服にしてはデザインおかしくない？
4. [犬の首輪だった]

一般的に仮定される考えに対し、実際には標準からずれているときに使い、そのことに対する違和感や疑いの気持ちを表します。

- 隣の住人は夫婦だと言っているが、夫婦にしては言葉遣いが他人行儀だ。
- 3年もイギリスにいたにしては、彼は英語が下手だ。
- この作品は、小学生が一人で作ったにしては、出来がよすぎる。

違いは何？	● 中学生にしては小さい。 ● 中学生のわりに小さい。

わりに　釣り合わない　★★★

1　あの犬見て！

2　犬のわりにちっちゃいね／そっち!?

3　あの犬見て！

4　犬のわりにでっかいね／そっちー!?

現実と、自分の持つ基準が釣り合っていないときに使います。その不釣り合いからくる、驚きや落胆、喜びなどの感想を表します。

- 今のバイトは、仕事がきついわりに時給が低いから、やめようと思う。
- 日差しがあって風がないので、気温が低いわりに暖かく感じる。
- 父は、年のわりに老けて見える。

入れてみよう

次の会話の＿＿＿に、「にしては」か「わりに」のどちらか、より適切なほうを入れましょう。

1
妹：この人、女？ 
姉：女＿＿＿声が低いね。

2
友A：できた？ 
友B：んー。苦労した＿＿＿いいものができなかった。

3
来場者A：これ、何だと思う？キリンかな？ 
来場者B：キリン＿＿＿首が短いよ。馬じゃない？

4
不動産屋：このアパートはどうですか。 
客：駅から遠い＿＿＿高いね。

5
息子：転んでちょっとけがした。 
母親：転んだ＿＿＿傷が変よ。けんかしたんでしょ。

6
友A：テストどうだった？ 
友B：勉強しなかった＿＿＿よかった。

[答え] 1 にしては　2 わりに　3 にしては　4 わりに　5 にしては　6 わりに

作ってみよう

「にしては」を使って、会話を完成させましょう。

1 正体不明

友A：あの光、何？　星かな？
友B：＿＿＿＿＿＿＿＿＿＿＿＿＿＿＿＿＿＿＿＿＿＿＿＿＿＿＿＿＿＿＿。
友A：じゃ、飛行機？
友B：＿＿＿＿＿＿＿＿＿＿＿＿＿＿＿＿＿＿＿＿＿＿＿＿＿＿＿＿＿＿＿。

2 疑惑

母：お友達と部屋でずっと、何してたの？
子：勉強。
母：＿＿＿＿＿＿＿＿＿＿＿＿＿＿＿＿＿＿＿＿＿＿＿＿＿＿＿＿＿＿＿。

「わりに」を使って、会話を完成させましょう。

3 うれしい誤算

友A：旅館どうだった？
友B：＿＿＿＿＿＿＿＿＿＿＿＿＿＿＿＿＿＿＿＿＿＿＿＿＿＿＿＿＿＿＿。
友A：よかったね。

4 悲しい誤算

友C：合唱コンクール、どうだった？
友D：予選落ち。＿＿＿＿＿＿＿＿＿＿＿＿＿＿＿＿＿＿＿＿＿＿＿＿＿＿。
友C：緊張したんだね。

話してみよう

1. 二人は親子です。母親は、仮病を使って学校を休もうとする子どもに、「にしては」を使って、話しましょう。

2. 二人は、病気の妻と、それを気遣う夫です。妻は、「わりに」を使って、夫の気遣いに答えましょう。

12 「あげく」vs「末に」

使い方を確認しよう

あげく　こんな結果は嫌だ　★★

1. 犬に噛まれた！
2. 猿にひっかかれた！
3. 男の子になぐられた！
4. ぼくたちボコボコにされたあげく宝物をとられたんです

悪いことが起きて、それで終わりにならないで、もっと悪いことが起きた、というときに使います。「こんな結果は嫌だ」というような、ひどい結果で終わるというときに使ってみましょう。

- 姉は5回も手術したあげく、死んでしまった。
- 万引きしたあげく、暴れて店長を殴った女が、逮捕された。
- ルームメートは、部屋をメチャメチャにしたあげく、お金を取って出て行った。

ボコボコにされる　　　be gang bashed　　　被毒打　　　심하게 맞다

違いは何？

- 3時間考えたあげく、何も買わなかった。
- 3時間考えた末に、何も買わなかった。

末に　結果までの大変さのアピール　★★

1　鬼と戦いに行くなんて／危ないからやめなさい

2　よく考えた末に決めたことです　行ってきます

3　ただいま戻りました／まさかその宝物…

4　盗んできたのでは／戦った末に勝ち取ってきたものです

今があるのは、そこに至るまでの過程があるからであり、そんなに簡単にすぐにこの事態が現れたのではない、というように、大変さをアピールしたいときに使います。改まった場で丁寧な話し方で使いましょう。

- 両親と何度も話し合った末に、学校をやめることにした。
- 延長戦の末に、やっと勝つことができた。
- 兄は、職を転々とした末に、今の職場に落ち着いた。

鬼　ogre　鬼怪；幽灵　괴물, 도깨비

入れてみよう

次の会話の＿＿＿に、「あげく」か「末に」のどちらか、より適切なほうを入れましょう。

1
記者：今のお気持ちは？ 
知事当選者：激戦の＿＿＿当選できて、うれしいです。

2
友A：水泳大会どうだった？ 
友B：3時間待たされた＿＿＿中止になった。

3
妻：歯医者、行った？ 
夫：うん。抜かれた＿＿＿1万円とられた。

4
記者：会長、お辞めになるとか？ 
会長：はい。熟慮した＿＿＿退任することにしました。

5
犬：どうしたんだい？疲れた顔して。 
ロバ：長い間、人間に使われた＿＿＿捨てられたんだよ。

6
記者：徳川埋蔵金を発見したというのは事実ですか。 
学者：はい。長年探し求めた＿＿＿とうとう見つけました。

[こたえ] 1末に 2あげく 3あげく 4末に 5あげく 6末に

作ってみよう

「あげく」を使って、会話を完成させましょう。

1 家庭内暴力

夫：新聞、読んだ？　父親が18歳の息子を殺したんだって。
妻：なんで？
夫：＿＿＿＿＿＿＿＿＿＿＿＿＿＿＿＿＿＿＿＿＿＿＿＿＿＿＿＿＿＿＿＿＿＿＿＿＿＿＿。

2 酔っぱらい

友A：私、きのう途中から記憶ないんだけど、何か迷惑かけた？
友B：＿＿＿＿＿＿＿＿＿＿＿＿＿＿＿＿＿＿＿＿＿＿＿＿＿＿＿＿＿＿＿＿＿＿＿＿＿＿＿。

「末に」を使って、会話を完成させましょう。

3 試行錯誤

リポーター：なんですか、これ！　すばらしい!!　おいしいスープですね。
ラーメン店店主：＿＿＿＿＿＿＿＿＿＿＿＿＿＿＿＿＿＿＿＿＿＿＿＿＿＿＿＿＿＿＿＿。

4 探索

教授A：研究に必要な資料は見つかりましたか。
教授B：ええ。＿＿＿＿＿＿＿＿＿＿＿＿＿＿＿＿＿＿＿＿＿＿＿＿＿＿＿＿＿＿＿＿＿。

話してみよう

1. 二人は友達同士です。「あげく」を使って、恋人とのひどい別れについて話しましょう。

2. 二人は、進路を決めた高校生と、それに反対する担任教師です。「末に」を使って、進路について話しましょう。

第2部　意味が似ている表現

13 「あまりの〜に」vs「あまり」

使い方を確認しよう

あまりの〜に　容量オーバー　★★

【1】目——見開いてるけど大丈夫？

【2】あまりの広さに目を丸くしてるのよ
そうかな……

【3】（無言）

【4】あまりの締め付けに目を白黒させてるんじゃない？

いつもの様子と違うため、通常の行動がとれなかったり、周囲の状態が変わったりしたときに使います。受け入れられる通常の容量を大きく超えたために起こる異変を表します。

- ふと外を見たら、あまりの鳥の多さに、恐怖を感じた。
- 新発売のゲームは、あまりの人気に、品切れになってしまった。
- 友達の失敗を聞いて、あまりのバカさ加減に、吹き出した。

目を白黒させる　　　be astonished　　　惊慌失措；大吃一惊　　　눈을 희번덕거리다

違いは何？
- 料理を一口食べたら、あまりの辛さに、舌の感覚がなくなった。
- 料理を一口食べたら、辛さのあまり、舌の感覚がなくなった。

あまり　　精神的衝撃　　★★

1 どうしていつもウサギと一緒なの？

2 ウサギはね一人でいると寂しさのあまり死んでしまうんだって

3 （泣いている場面）

4 ストレスのあまり死んでしまうよ

前半の「～のあまり」で、感情や感覚の程度がいつもとは比べられないくらい大きいことを示し、後半では、普通とは違う行動をとったり、普通とは違う状態になったりすることを表します。

- お化け屋敷に入ったら、恐怖のあまり、髪の毛が逆立った。
- 息子のサッカーチームが優勝し、喜びのあまり、隣の人に抱き付いてしまった。
- 姉とけんかして言い返すことができず、悔しさのあまり、全身が震えた。

入れてみよう

次の会話の＿＿＿に、（　）の言葉と「あまりの〜に」か「あまり」のどちらかより適切なほうを使い、必要なら形を変えて入れましょう。

1
妻：どうしたの？
（重さ）
夫：＿＿＿＿＿＿＿床が抜けたみたい。

2
母：かさ、持って行かなかったの？
（風）
子：持ってたけど、＿＿＿＿＿＿＿壊れちゃった。

3
友A：初めて富士山を見たんだって？
（感動）
友B：うん。＿＿＿＿＿＿＿息するの忘れちゃった。

4
教師A：学生の態度、悪いそうですね。
（怒り）
教師B：ええ。今日は＿＿＿＿＿＿＿血管が切れるかと思いました。

5
女：どうしたの？
（美しさ）
男：君の＿＿＿＿＿＿＿目がくらんでしまったんだよ。

6
社員A：お子さん、留学して心配でしょう。
（心配）
社員B：ええ。初めのころは＿＿＿＿＿＿＿食事ものどを通りませんでした。

[こたえ] 1 あまりの重さに　2 あまりの風に　3 感動のあまり　4 怒りのあまり　5 あまりの美しさに　6 心配のあまり

作ってみよう

「あまりの〜に」を使って、会話を完成させましょう。

1 会社帰りの夫
夫：事故で電車が止まっちゃって、大変だったよ。
妻：タクシーで帰ってきたの？
夫：そうしようと思ったんだけど、＿＿＿＿＿＿＿＿＿＿＿＿＿＿＿＿＿＿＿＿。

2 別れのわけ
友A：彼と別れたんだって？
友B：＿＿＿＿＿＿＿＿＿＿＿＿＿＿＿＿＿＿＿＿＿＿＿＿＿＿＿＿＿＿＿。

「あまり」を使って、会話を完成させましょう。

3 とっても感激
友A：あのアイドルの握手会、行ったの？
友B：うん！＿＿＿＿＿＿＿＿＿＿＿＿＿＿＿＿＿＿＿＿＿＿＿＿＿＿＿。
友A：ふーん。そんなにいいのかね。

4 ひどい結果
友A：試験、全然できなかった。全くわからなかった。
友B：あんなにがんばってたのに？
友A：＿＿＿＿＿＿＿＿＿＿＿＿＿＿＿＿＿＿＿＿＿＿＿＿＿＿＿＿＿＿＿。

話してみよう

1 二人は友達同士です。「あまりの〜に」を使って、厳しい寒さについて話しましょう。

2 二人は友達同士です。「あまり」を使って、初めての経験で大変だったことについて、話しましょう。

第2部　意味が似ている表現

14 「きれない」vs「っこない」

使い方を確認しよう

きれない 最後までできない ★★

(コマ1) わーこんなに食べきれない
(コマ2) 速い 逃げきれない
(コマ3) ズルッ
(コマ4) ええー!?

多過ぎてできないときに使います。自分の許容範囲を越えたと感じたとき、やってみる前からできない、という場合もあるし、やり始めたけど途中でできない、という場合もあります。

- 田舎に帰ると、母はいつも持ちきれないほどのお土産をくれる。
- 裁判を傍聴していた被害者の父親は、感情を抑えきれず、被告を罵倒した。
- その昔、この村では、貧しさに耐えきれずに子を売る親が、後を絶たなかった。

| 違いは何？ | ● こんな分厚い本、1日では読みきれない。
● こんな分厚い本、1日では読めっこない。 |

っこない　やらなくてもわかる。可能性はない　★★

コマ1： ライオンがバナナを持っている。木の上からシマウマが見ている。

コマ2：
- 「シマウマなんか捕まえなくてもバナナ食べればいいのにね」
- 「食べっこないよ　肉食だもん」

コマ3： ライオンが激しくバナナを食べている。

コマ4：
- 「食べた」
- 「よっぽどお腹すいてたんだな」

他の人のことを言うときは、その人の性格や能力から考えて、絶対しない、できないと言いたいときに使います。そこには、相手を軽蔑した気持ちが見られます。また、自分のことを言うときは、やる前から、できない、無理だ、という諦めの気持ちを表します。

- 妹は方向音痴なのだから、地図があっても一人では行けっこない。
- 今からでは間に合いっこないから、今日は映画を見に行くのはやめよう。
- 年度末で忙しいから、有休なんてとれっこない。

125

入れてみよう

次の会話の_____に、「きれない」か「っこない」のどちらかより適切なほうを、必要なら形を変えて入れましょう。

1
女：宝くじ、当たらないかなあ。
男：当たり_____よ。

2
中学生A：先生に見つからないかな。
中学生B：見つかり_____よ。

3
友A：もう諦めろよ。おまえはふられたんだ。
友B：やだ。諦め_____。

4
学生A：この問題わかる？
学生B：わかり_____でしょ。

5
医者：このバリウム、途中で休まないで、全部きれいに飲んでくださいね。
受診者：う、こんなもの、飲み_____。

6
友A：何してんの？
友B：なかなか始まらないから、待ち_____て。

[こたえ] 1 っこない 2 っこない 3 きれない 4 っこない 5 きれない 6 きれなく

作ってみよう

「きれない」を使って、会話を完成させましょう。

1 浮気発覚

友A：彼女に浮気がバレそうだ。どうしよう？
友B：バレないようにがんばれ。
友A：＿＿＿＿＿＿＿＿＿＿＿＿＿＿＿＿＿＿＿＿＿＿＿＿＿＿＿＿＿＿＿＿＿＿＿。

2 呼び出し

教師：おまえ、校長先生に説教されてるときに笑っちゃダメだろ。
学生：＿＿＿＿＿＿＿＿＿＿＿＿＿＿＿＿＿＿＿＿＿＿＿＿＿＿＿＿＿＿＿＿＿＿＿。

「っこない」を使って、会話を完成させましょう。

3 バカにする奴

高校生A：おまえ、どこの大学、受けんの？
高校生B：T大。
高校生A：＿＿＿＿＿＿＿＿＿＿＿＿＿＿＿＿＿＿＿＿＿＿＿＿＿＿＿＿＿＿＿＿。
高校生B：やってみなきゃ、わかんないだろ。

4 ガッツのない奴

高校生C：競争しない？
高校生D：＿＿＿＿＿＿＿＿＿＿＿＿＿＿＿＿＿＿＿＿＿＿＿＿＿＿＿＿＿＿＿＿。
高校生C：やってみなきゃ、わかんないだろ。

話してみよう

1 二人は、気前がよ過ぎる人と、その人の親切を断る人です。「きれない」を使って話しましょう。

2 二人は劣等生同士です。「っこない」を使って、出された宿題に文句を言いましょう。

第2部　意味が似ている表現

15 「に関して」 vs 「をめぐって」

使い方を確認しよう

に関して　関連する事柄について　★★

1. 大臣の失言に関しては
2. 税率に関しては検討中です
3. 支持率の低下に関しては……
4. 打つ手がありません

一つの大きいテーマについて言うときに使います。そのテーマの中にはさらに細かい項目があるのですが、細かい項目は、この大きいテーマの関連事項として扱われることを表します。

- 健康管理に関して、知識を深めたい。
- 短期語学留学に関しては、このパンフレットを読めばわかる。
- 年金に関して疑問があるときは、どこに問い合わせればいいのだろう。

| 失言 | saying the wrong thing, slip of the tongue | 失言 | 실언, 말실수 |
| 打つ手がない | cannot do anything about it | 没有办法 | 손쓸 방법이 없다 |

| 違いは何？ | ● 尊厳死に関して、話し合った。
● 尊厳死をめぐって、話し合った。 |

をめぐって　トラブルについて　★★

1 私の退陣をめぐって―
2 与党でも　駆け引きが始まっています
3 （総理の会見）
4 総理　総理　もうだめだ

何か問題を抱えた話題を言うときに使います。その問題のために、議論したり、対立したり、争ったりしていることを表します。新聞やニュースなどの時事問題でよく用いられます。

● ダム建設をめぐって、賛成派と反対派の対立が続いている。
● 子どもの命名をめぐって、父と母と夫がもめている。
● 環境サミットで、CO_2の削減をめぐって、各国の議論が繰り広げられた。

| 退陣 | resignation | 下台；辞职 | 퇴진 |
| 与党 | governing party | 执政党 | 여당 |

入れてみよう

次の会話の_____に、「に関して」か「をめぐって」のどちらか、より適切なほうを入れましょう。

1
学生：海洋生物の本を借りたいんですけど。 
司書：海の生き物_____調べたいなら、その奥のいちばん下の棚にあります。

2
アナウンサー：現場の田中さん。 
田中：ここ浦島では、竜宮城の取り壊し_____島民が二つに割れています。

3
就活学生：御社の資料を送っていただきたいんですが。 
社員：求人_____は、弊社ホームページをご覧ください。

4
アナウンサーA：次のニュースです。 
アナウンサーB：打出の小槌の所有権_____、三者協議が始まりました。

5
王子の友：王子はどのぐらいお金持ちなのですか？ 
王子：さあ。財産_____は、私は全く知らないのです。

6
アナウンサー：次は海外からです。 
特派員：ここSW国では、一人の難民女性への対応_____連立政権が崩壊しました。

[こたえ] 1 に関して 2 をめぐって 3 に関して 4 をめぐって 5 に関して 6 をめぐって

作ってみよう

「に関して」を使って、会話を完成させましょう。

1 専門学校

事務　：こちらが当校のパンフレットです。
受験生：＿＿＿＿＿＿＿＿＿＿＿＿＿＿＿＿＿＿＿＿＿＿＿＿＿＿＿＿＿＿＿＿＿＿＿。
事務　：こちらの電話番号におかけください。

2 寮生活

学生　：今日からお世話になります。寮生活は初めてなので、何もわかりません。
　　　　いろいろ教えてください。よろしくお願いします。
管理人：ではまず、＿＿＿＿＿＿＿＿＿＿＿＿＿＿＿＿＿＿＿＿＿＿＿＿＿＿＿＿。

「をめぐって」を使って、会話を完成させましょう。

3 会議

社員A：今日の会議は長引きそうですね。
社員B：ええ。＿＿＿＿＿＿＿＿＿＿＿＿＿＿＿＿＿＿＿＿＿＿＿＿＿＿＿＿＿＿＿＿。

4 歴史

教師：人類の歴史は、戦争の歴史と言えますね。
生徒：はい。＿＿＿＿＿＿＿＿＿＿＿＿＿＿＿＿＿＿＿＿＿＿＿＿＿＿＿＿＿＿＿＿＿。

話してみよう

1. 二人は、会社説明会で質問する学生と、それに答える人事担当者です。「に関して」を使って、話しましょう。
2. 二人は、遺産争いについて法律相談に来た人と、弁護士です。「をめぐって」を使って、話しましょう。

第2部　意味が似ている表現

16 「に加えて」vs「上」

使い方を確認しよう

に加えて とどめの原因、理由 ★★

1. 道路のひどさに加えて
2. 天候が悪化したため
3. 遅くなりました
4. ここは東京で今日は快晴だよ

ある原因、理由にもう一つの原因、理由がプラスされたことで今の結果がある、というときに使います。悪い結果のときは、致命的になった原因、理由を、よい結果のときは、より強力になった原因、理由を表します。

- 疲労に加えて猛暑が続いたため、体調を崩してしまった。
- 彼女は、美貌に加えて演技力を付けてきたので、今、最も期待される女優だ。
- ここが、質の低下に加えて産地偽装が発覚し、倒産の危機にある料亭だ。

違いは何？	● スピーチをするのは初めてなのに加えて、人が大勢来たので緊張した。 ● スピーチをするのは初めての上、人が大勢来たので緊張した。

上　重なる理由　★★★

コマ1: 君はウソが下手な上気が小さいから…

コマ2: クビですか!?　く……

コマ3: 扱いやすい

コマ4: ナデナデ　!?

出された結論の理由としては一つでも十分なのに、もう一つ理由がある、というときに使います。立て続けに理由を言うことで「そうだったのか」と聞く人を納得させることができます。

● 声が小さい上ボソボソ話すから、部長の話は聞き取りにくい。
● 今日は暖かい上、風があるから、花粉症の人は大変だろう。
● 姉は、段取りがいい上、集中力があるから、仕事が早い。

入れてみよう

次の会話の＿＿＿に、（　）の言葉と、「に加えて」か「上」のどちらかより適切なほうを使い、必要なら形を変えて入れましょう。

1
社員A：仁さんは本社に栄転だそうですよ。 
（頭が切れる）
社員B：＿＿＿＿＿＿、人当たりもいいですからね。

2
社員A：下川さんは子会社に左遷だそうですよ。 
（いいかげん）
社員B：＿＿＿＿＿＿、酒癖が悪いですからね。

3
同僚A：きのうの釣りはどうでした？ 
（波）
同僚B：＿＿＿＿＿＿、風が強くなったため、早々に引き上げて来ました。

4
住民：この辺を荒らしまくっている空き巣はまだ捕まらないんですか。 
（用心深い）
警官：ええ。＿＿＿＿＿＿逃げ足の速いやつで……。

5
町内会長：景気はどうですか。 
（不況）
土産物屋：＿＿＿＿＿＿、円が高くなったため、もうサッパリですよ。

6
馬主：勝てそうですか。 
（瞬発力）
調教師：＿＿＿＿＿＿持久力がついてきましたから、バッチリです。

[こたえ] 1 頭が切れる上 2 いいかげんな上 3 波に加えて 4 用心深い上 5 不況に加えて 6 瞬発力に加えて

作ってみよう

「に加えて」を使って、会話を完成させましょう。

1 コンビニ弁当

店員A：今度発売された弁当、女性に人気がありますね。
店員B：＿＿＿＿＿＿＿＿＿＿＿＿＿＿＿＿＿＿＿＿＿＿＿＿＿＿＿＿＿＿＿＿＿＿＿＿。

2 残念な結果

馴染み客：300年も続く老舗旅館を、どうしてやめてしまうんですか。
主人：＿＿＿＿＿＿＿＿＿＿＿＿＿＿＿＿＿＿＿＿＿＿＿＿＿＿＿＿＿＿＿＿＿＿＿＿。

「上」を使って、会話を完成させましょう。

3 続かないわけ

店員A：うちの店、バイトが入っても、すぐ辞めちゃいますね。
店員B：＿＿＿＿＿＿＿＿＿＿＿＿＿＿＿＿＿＿＿＿＿＿＿＿＿＿＿＿＿＿＿＿＿＿＿＿。

4 流行るわけ

社員A：この店はいつも混んでいますね。
社員B：＿＿＿＿＿＿＿＿＿＿＿＿＿＿＿＿＿＿＿＿＿＿＿＿＿＿＿＿＿＿＿＿＿＿＿＿。

話してみよう

1 二人は同じ会社の取締役です。「に加えて」を使って、会社経営の大変さについて話しましょう。

2 二人は会社員です。「上」を使って、新商品が売れるかどうかについて話しましょう。

17 「に応えて」vs「に応じて」

使い方を確認しよう

に応えて　相手の思いに合ったことをする　★★

1 皆さんの期待に応えて上位入賞を狙います

2 私も応援に応えて力を発揮していきたいと思います

3 国民の皆様の熱い思いに応えてメダルをとりにいきます

4 国民に応援されたり期待されたりして……　いいなみんな

相手がしてほしいと思うことをした、あるいは、できるようがんばる、と言いたいときに使います。期待されたり、要求されたりした、その気持ちを裏切りたくない、という思いを表します。

- ファミレスは、アンケートの声に応えて、やめていた定食を復活させることにした。
- サーカスの象は、客の期待に応えて、すばらしい芸を見せた。
- 社長は、社員たちの願いに応えて、社内に託児所を作った。

違いは何？

- この公園は、町民の要求に応えて造られた。
- この公園は、町民の要求に応じて造られた。

に応じて　臨機応変に対応　★★

1 収入に応じて入れる老人ホーム

2 症状に応じて入れる病院

3 そして学力に応じて入れる大学

4 ……というのはつくれないかな／総理、もうできてます

一人ひとりの条件に合わせて、選択肢が用意されている、と言いたいときに使います。相手の示す条件の内容が異なれば、こちらの提示内容も変わる、つまり、臨機応変であることをアピールします。

- 医者は、患者の症状に応じて治療する。
- ここの水泳教室は、生徒の運動能力に応じて、指導法を変えている。
- この美容師は、客のイメージに応じて、どんなヘアスタイルでも作ることができる。

入れてみよう

次の会話の＿＿＿に、「に応えて」か「に応じて」のどちらか、より適切なほうを入れましょう。

1. アナウンサー：あー、またダウンだー。 
   解説者：ファンの声援＿＿＿＿＿立ち上がってほしいですね。

2. 弁理士：何ですか、それは？ 
   発明家：愛煙家のニーズ＿＿＿＿＿作った「どこでも喫煙テント」です。

3. 参加者：どのコースにしようかな。 
   主催者：体力＿＿＿＿＿お選びください。

4. アルバイト：あのう、日当は？ 
   雇用者：売り上げ＿＿＿＿＿お支払いします。

5. 客：食事の内容は決まっているんですか？ 
   宿の人：いいえ、ご予算＿＿＿＿＿準備いたします。

6. 客：お風呂場の屋根がなくなっていましたけど？ 
   旅館の人：お客様方のご要望＿＿＿＿＿、露天風呂にしたんです。

[こたえ] 1 に応えて 2 に応えて 3 に応じて 4 に応じて 5 に応じて 6 に応えて

作ってみよう

「に応えて」を使って、会話を完成させましょう。

1 スピーチコンテスト

クラスメートたち：がんばってね。しっかりね。落ち着いて。あがるなよ。1位になれよ。
クラス代表出場者：＿＿＿＿＿＿＿＿＿＿＿＿＿＿＿＿＿＿＿＿＿＿＿＿＿＿＿＿＿＿。

2 カラオケ

友達A／B／C／D／E：アンコール！　アンコール！
友達F　　　　　　：＿＿＿＿＿＿＿＿＿＿＿＿＿＿＿＿＿＿＿＿＿＿＿＿＿＿＿＿＿＿。

「に応じて」を使って、会話を完成させましょう。

3 英会話教室

客　：ここでは、どんな教科書を使ってるんですか？
受付：＿＿＿＿＿＿＿＿＿＿＿＿＿＿＿＿＿＿＿＿＿＿＿＿＿＿＿＿＿＿＿＿＿＿＿＿＿。

4 旅行会社

客　：どんなツアーがおすすめですか？
社員：＿＿＿＿＿＿＿＿＿＿＿＿＿＿＿＿＿＿＿＿＿＿＿＿＿＿＿＿＿＿＿＿＿＿＿＿＿。

話してみよう

1 二人は友達同士です。「に応えて」を使って、理想の政治家について話しましょう。

2 二人は友達同士です。「に応じて」を使って、好きな教師について話しましょう。

18 「ものだ」vs「ことだ」

使い方を確認しよう

ものだ 常識を言い聞かせる ★★

(コマ1〜4：ゲームで遊ぶ二人。4コマ目「子どもは外で遊ぶものだよ！」)

その人の思う常識を教えて、納得させるときに使います。ただし、常識は国や時代や世代によって変わるものもあるため、その通りだと思うものも、そんなことはないと思うものもあります。いずれにせよ、「ものだ」と言う人が考える常識を知ることができます。

- 世話になったら、礼を言うものだ。
- 妻は夫に従うものだ。
- 困っている人には親切にするものだ。

違いは何？

- 悪いと思ったら謝るものだ。
- 悪いと思ったら謝ることだ。

ことだ　うまくいくよう冷静にアドバイス　★★

（コマ1）バキッ／カチカチ
（コマ2）カチカチカチ
（コマ3）YOU WIN!
（コマ4）もっと練習することだね

困っている人や悩んでいる人に助言するときに使います。冷静に助言している印象を与えることも、突き放した冷たい印象を与えることもあります。自分より立場が上の人に使うと、生意気な印象を与えます。

- 後悔したくなかったら、今のうちに勉強しておくことだ。
- やせたいなら、歩くことだ。
- 早く風邪を治したかったら、ゆっくり休むことだ。

第2部　意味が似ている表現

入れてみよう

次の会話の＿＿＿に、「もの」か「こと」のどちらか、より適切なほうを入れましょう。

1
書道の生徒：なかなかうまく書けなくて。 
先生：筆を替える＿＿＿ですね。

2
ネコ：ミャー。 
飼い主：ネコはネコらしく寝る＿＿＿だよ。わかる？

3
イヌ：ワン！ 
飼い主：イヌはご主人様が帰ったら迎えに来る＿＿＿だよ。わかった？

4
友A：うちの課長、ネチネチ嫌みばっかり言って、ほんと腹立つよ。 
友B：嫌なことは早く忘れる＿＿＿だよ。

5
嫁：お義母さん、ちょっと出掛けてきます。 
姑：ちょっと待ちなさい。結婚した女性は、もっと地味な服を着る＿＿＿です。

6
友A：うちの姑、いろいろうるさくて。 
友B：そんなの聞き流す＿＿＿ね。

作ってみよう

「ものだ」を使って、会話を完成させましょう。

1 時代遅れ

男：結婚したら_____？

女：え？　どうして？

男：_____？

女：何言ってんの？　あなた、明治生まれ？

2 不公平

母：妹、泣かせちゃダメでしょ。おもちゃ貸してあげなさい。

娘：やだ。よだれでベチャベチャになるから。

母：_____。

「ことだ」を使って、会話を完成させましょう。

3 高校入試

受験生の母親：どうしても浪人させたくないんですが。

担任　　　　：_____。

4 健康診断

医者：長生きしたかったら、_____。

メタボの人：わかりました。

話してみよう

1. 二人は、父親と大学生の息子で、世代ギャップのために衝突します。「ものだ」を使って、父親は息子に意見しましょう。
2. 二人は友達同士です。恋愛の悩みを話す友達に、「ことだ」を使って、アドバイスしましょう。

19 「からこそ」vs「ばこそ」

使い方を確認しよう

からこそ 深いわけがある ★★★

1
「そんな難しそうな本読んで、嫌にならない？」

2
「難しいからこそおもしろいんだよ」
「でもそれ大昔の本でしょ？役に立つの？」

3
「昔の本だからこそいろいろ教えられるんだよ」
「おまえはマンガばっかり読んでるからバカなんだぞ」

4
「バカだからこそ兄ちゃんと仲良くしていられるんだよ」

「難しいからこそおもしろい」というのは、「難しいから知的好奇心を満足させ、だからおもしろいんだ」という、掘り下げた理由が隠れています。「こそ」には、「あなたが考えているより深い訳がある」「そこに理由があるんだ」という意味が入っています。

- この仕事は、大変だからこそ、やりがいがある。
- スポーツをしているからこそ、勉強にも集中できる。
- けがをしたからこそ、これまでの練習法を見直し、勝つことができた。

違いは何？

- 悲しみが多いからこそ、人に優しくできるのだ。
- 悲しみが多ければこそ、人に優しくできるのだ。

ばこそ　必要な条件 ★

1
どんなに勉強しても人は皆、年とって死ぬんだよ？

2
いや勉強すればこそ老いや死について考えることができるんだ

3
そんなこと考えて何の意味があるの？
死の意味を考えればこそ生の意味がわかるんだ

4
ねえ兄ちゃん、毎日楽しい？
楽しければこそ生きている意味があると思うんだけど

「勉強しても無駄」と思っている人に対し、望む結果（例えば大学合格など）のためには、「勉強すればこそ大学に合格できるんだ」のように、勉強するという条件が必要だと教えます。

- 練習すればこそ、上達できる。
- 時間をかければこそ、よりよい作品ができる。
- 苦労が大きければこそ、訪れる幸せも大きい。

入れてみよう

次の会話の＿＿＿に、（　）の言葉と、「からこそ」か「ばこそ」のどちらかより適切なほうを使い、必要なら形を変えて入れましょう。

1
妻：あなた、本当にテニス下手ね。それで楽しいの？ 
（下手）
夫：＿＿＿＿＿＿＿＿上手になりたくて夢中になるんだよ。

2
子：この盲目のピアニスト、すごいね。 
（見える）
母：＿＿＿＿＿＿＿＿、音がよくわかるんじゃない。

3
社員A：毎日が休みだったらいいのに。 
（仕事している）
社員B：いやあ、＿＿＿＿＿＿＿＿休みがうれしくて楽しいんですよ。

4
父：なんでそんな零細企業に入りたいんだ?! もっと将来のことを考えろ！ 
（する）
子：小さい企業だといろいろな経験ができる。いろいろな経験を＿＿＿＿＿＿＿＿、人は成長できる。だからだよ。

5
母：あんな大酒飲みの男とは早く別れなさいよ。子どもがかわいそうでしょ？ 
（ある）
娘：でも、彼、財産あるから。お金が＿＿＿＿＿＿＿＿、子どもと暮らしていけるのよ。

6
娘：朝昼晩食べてたら太っちゃう。 
（食べる）
母：3食きちんと＿＿＿＿＿＿＿＿、いいスタイルが保てるのよ。

[こたえ] 1 下手だからこそ　2 見えないからこそ　3 仕事しているからこそ　4 すればこそ　5 あればこそ　6 食べればこそ

作ってみよう

「からこそ」を使って、会話を完成させましょう。

1 開店

友人：いよいよあしたが開店だね。
店主：まさか、本当に店が持てるとは思わなかったよ。
友人：＿＿＿＿＿＿＿＿＿＿＿＿＿＿＿＿＿＿＿＿＿＿＿＿＿＿＿＿＿＿＿＿＿。

2 旅行の後

母：旅行なんて面倒だと思っていたけど、楽しかったね。
娘：でしょう？＿＿＿＿＿＿＿＿＿＿＿＿＿＿＿＿＿＿＿＿＿＿＿＿＿＿＿。

「ばこそ」を使って、会話を完成させましょう。

3 研究

助手：毎日毎日こんなことを続けても、無駄じゃないでしょうか？
教授：＿＿＿＿＿＿＿＿＿＿＿＿＿＿＿＿＿＿＿＿＿＿＿＿＿＿＿＿＿＿＿＿＿。

4 食事

娘：どうしてお母さんは、いつも食事にうるさいの？　いいじゃない、好きなものを好きなように食べて、おいしければ。
母：＿＿＿＿＿＿＿＿＿＿＿＿＿＿＿＿＿＿＿＿＿＿＿＿＿＿＿＿＿＿＿＿＿。

話してみよう

1. 二人は、高校を卒業して10年後に会った昔のクラスメートです。現在の職業を意外に思うかつての同級生に、その職業を選んだ理由を、「からこそ」を使って話しましょう。

2. 二人は兄弟です。兄は女性との付き合いが多く、弟は交際経験がありません。女性との付き合いについて、「ばこそ」を使って話しましょう。

20 「といっても」 vs 「とはいえ」

使い方を確認しよう

といっても あなたの想像とは違う ★★★

1
― 社長になったんだって？
― 社長といっても社員はいないよ

2
― でも会社だろ？
― 会社といっても自分の部屋だけどね

3
― …何の仕事？
― 掃除したり犬の散歩したりいろいろ

4
じゃ、仕事といってもアルバイトに毛の生えたようなものだな

「この話は事実だけど、この話からあなたがイメージしていることは違っている」と言いたいときに使います。話を聞いた相手が「すごい」と思っているのがわかったから、そうでもないと説明を加えるときに使いましょう。

- 料理を作るといっても、インスタントだ。
- 庭といっても、ネコの額ほどしかない。
- モデルになった。といっても、近所のスーパーのちらしのモデルだ。

~に毛の生えたようなもの　　being little better than ~　　差不多；変化不大　　~와 그다지 다르지 않음

| 違いは何？ | ● 家を買った。といっても30年ローンだ。
● 家を買った。とはいえ30年ローンだ。 |

とはいえ　現実はそう単純ではない ★

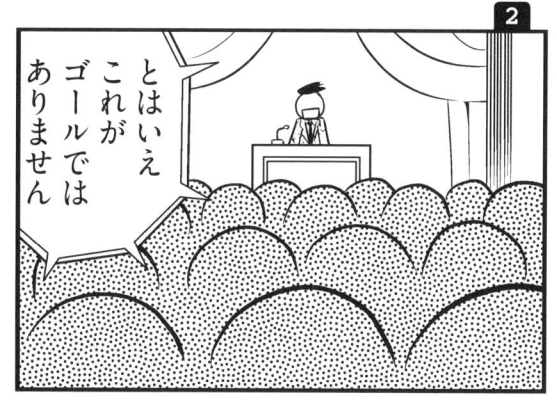

1 わが社は業界トップになりました

2 とはいえこれがゴールではありません

3 これから世界に進出していきます

4 立派になって……

前半で述べたことを打ち消すような内容が続くときに使います。「事実はこうだ。でもこれで言いたいことが終わったのではない。話の続きを聞いてくれ」という思いで使います。

● 無罪になったとはいえ、疑いが晴れたわけではない。
● この会社を建て直すことは非常に困難だ。とはいえ、力を合わせれば必ず何とかなる。
● 彼はいまだに絶対的な権力を握っている。とはいえ、かつての力はもはや無い。

入れてみよう

次の会話の_____に、「といっても」か「とはいえ」のどちらか、より適切なほうを入れましょう。

1
友A：主役に抜擢されたんだって?! 
友B：主役_____、デパートの屋上の子どもショーのね。

2
患者の家族：手術は成功したんですね。 
医者：はい。しかし成功した_____、予断はまだ許されません。

3
保母A：プロポーズされたんだって?! 
保母B：された_____、うちの組の二郎ちゃんにね。

4
刑事：あれは正当防衛でした。 
警部：もちろんだ。_____、殺してしまったことに変わりはない。

5
妻：ボーナス出たの？ 
夫：出たよ。_____、雀の涙ね。

6
客：ぼくが大成功を収めるなんて信じられない。 
占い師：間違いありません。_____、あと10年は苦難の道が続くでしょう。

[こたえ] 1といっても 2とはいえ 3といっても 4とはいえ 5といっても 6とはいえ

作ってみよう

「といっても」を使って、会話を完成させましょう。

1 期待外れ

父：今日は外食しよう。
子：わーい。
父：＿＿＿＿＿＿＿＿＿＿＿＿＿＿＿＿＿＿＿＿＿＿＿＿＿＿＿＿＿＿＿＿＿＿＿＿＿。

2 見当違い

姉：私、夏休みもずっと学校に行くんだ。
妹：大変だね。
姉：＿＿＿＿＿＿＿＿＿＿＿＿＿＿＿＿＿＿＿＿＿＿＿＿＿＿＿＿＿＿＿＿＿＿＿＿＿。

「とはいえ」を使って、会話を完成させましょう。

3 可能性①

教師：今の成績でこの大学は、無理だな。
生徒：やっぱり。
教師：＿＿＿＿＿＿＿＿＿＿＿＿＿＿＿＿＿＿＿＿＿＿＿＿＿＿＿＿＿＿＿＿＿＿＿＿＿。

4 可能性②

警備隊長：我々は、アリの這い入る隙もないほどの警備体制を整えた。
隊員　　：はい。
警備隊長：＿＿＿＿＿＿＿＿＿＿＿＿＿＿＿＿＿＿＿＿＿＿＿＿＿＿＿＿＿＿＿＿＿＿＿。

話してみよう

1. 二人は友達同士です。「といっても」を使って、個人的なニュースについて話しましょう。
2. 二人は、希望する会社に就職の決まった学生と、その恩師です。「とはいえ」を使って、先生に就職内定の報告をしましょう。

21 「なり」vs「たとたん」

使い方を確認しよう

なり 唐突な行為 ★

1. いつも行くスーパーが変だった
2. 店員がゴミ箱をつかむなり外に放り投げたり
3. 客がニンジンをつかむなり歌いはじめたり
4. それは宇宙人のしわざだ

ある行為に続く行為が普通ではなく、予想外のものであったため、それを見ていた人は、なぜそんなことをするのかと思います。行為をした当人にはそれなりの理由、事情があるのでしょうが、第三者にとっては唐突な印象を受ける、というときに使います。

- 男は、新聞を手に取るなり、しゃがみ込んだ。
- 女は、玄関に入るなり、泣き出した。
- 刑事は、男の車に乗り込むなり、尋問を始めた。

違いは何？

- 部屋に入るなり、窓を割った。
- 部屋に入ったとたん、窓が割れた。

たとたん　意外な出来事　★★★

1 「会社が変だった」

2 ゴミを拾ったとたんゴミ箱が倒れたり

3 ペンを握ったとたん書類が飛び散ったり

4 「やっぱり宇宙人ね」

何かをした直後に、あるいは、状況が変わった直後に、思ってもいなかった意外なことが起きた、というときに使います。「なんだ？　どうした？　何があった？」という、驚きの気持ちを表します。

- ドアを開けたとたん、うちの犬に噛みつかれた。
- 道を曲がったとたん、1万円札が降ってきた。
- つぶれそうな店だったのに、テレビで紹介されたとたん、行列ができるようになった。

入れてみよう

次の会話の＿＿＿＿に、（　）の動詞と、「なり」か「たとたん」のどちらかより適切なほうを使い、必要なら形を変えて入れましょう。

1
（来る）
母：帰って＿＿＿＿＿＿ため息なんかついて、どうしたの？

子：飼育係に選ばれたんだ。ニワトリ嫌いなのに。

2
（切る）
子：お父さん、電話を＿＿＿＿＿＿飛び出していったけど、何かあったのかな？

母：麻雀のお誘いじゃない？

3
（出る）
夫：今朝、外に＿＿＿＿＿＿鉢植えが落ちてきて、びっくりしちゃった。

妻：けがしなかった？

4
（乗ってくる）
夫：今朝、電車に＿＿＿＿＿＿わめき出す人がいて、びっくりしたよ。

妻：最近は変な人が多いから、気を付けてね。

5
（立ち上がる）
祖父：ゆうべ、＿＿＿＿＿＿目の前が暗くなって、とうとう死ぬのかと思ったら……

孫：停電だったんでしょ。

6
（開ける）
友A：このワイン、＿＿＿＿＿＿泡が吹き出た。

友B：それは、シャンパンというものだよ。

[こたえ] 1 来るなり 2 切るなり 3 出たとたん 4 乗ってくるなり 5 立ち上がったとたん 6 開けたとたん

作ってみよう

「なり」を使って、会話を完成させましょう。

1 休日の朝

妹：あれっ？　お兄ちゃんは？
姉：_____。
妹：そういえば、今日は朝から_____言ってたな。

2 担任

高校生の息子：今日、_____。
母　　　　　：何がそんなにおかしかったの？
高校生の息子：先生のカツラが後ろにズレてたんだよ。

「たとたん」を使って、会話を完成させましょう。

3 思春期の子

母親A：かおるちゃん、まだ小学生でしょ？　小学生のうちはかわいくていいよね。
母親B：え？　どうしたの？
母親A：うちの子なんて_____。

4 結婚した女

男A：女って、怖いよな。
男B：怖い、怖い。_____。
男A：ほんと。どうしてあんなに変わっちゃうんだろね。

話してみよう

1. 二人は友達同士です。「なり」を使って、家族の一員の訳のわからない行動を話題に話しましょう。
2. 二人は友達同士です。「たとたん」を使って、けがをしたときの状況について話しましょう。

22 「にひきかえ」vs「に比べて」

使い方を確認しよう

にひきかえ 好き嫌いで比較 ★

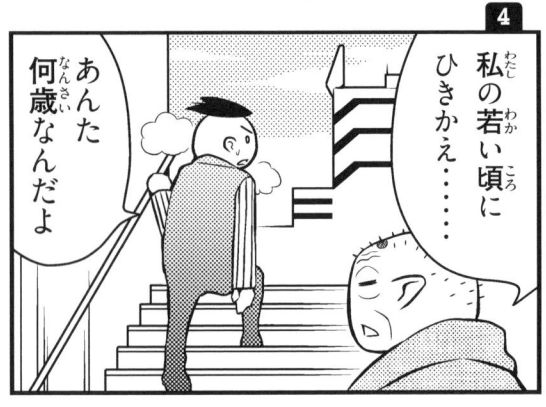

[1] 私の若い頃にひきかえ近頃の若者は体力がないな

[2] 私の若い頃にひきかえ近頃の若者は体力がないな

[3] 私の若い頃にひきかえ近頃の若者は体力がないな

[4] 私の若い頃にひきかえ……／あんた何歳なんだよ

AとBを比べるために、どちらかをほめて持ち上げるか、反対に悪い点を取り上げてけなすかするときに使います。その比較は、主観的であり、その人の好みに左右されています。

- 都会にひきかえ、田舎は不便で退屈だ。
- 女の子にひきかえ、男の子は単純で扱いやすい。
- 時間に追われてせわしない団体旅行にひきかえ、一人旅は自由にのんびりできていい。

違いは何？

- 去年にひきかえ、今年は雨が多い。
- 去年に比べて、今年は雨が多い。

に比べて　冷静に比較　★★★

1
若い頃に比べてご自身、何が変わったと思いますか？

2
物覚えが悪くなって……

3
しみとしわが……
あと物忘れがひどくなって……
若い頃に比べてよくなったところはありませんか？

4
落ち込んだり焦ったりすることが少なくなりました

主観や感情に左右されることなく、客観的にAとBを比較し、冷静に両者の違いを捉え、ほかの人にそれを説明するときに使います。商品の説明や、事象の解説など、公の場で丁寧な言い方で使いましょう。

- この素材は、従来のものに比べて、保温性に優れている。
- ここは、他県に比べて、自殺者の数が極めて少ない。
- 10年前に比べて現在は、環境を意識する企業が主流になっている。

入れてみよう

次の会話の＿＿＿に、「にひきかえ」か「に比べて」のどちらか、より適切なほうを入れましょう。

1
アナウンサー：今年の桜の開花はいつごろになりそうですか？

気象予報士：平年に＿＿＿＿、1週間ほど早くなりそうです。

2
友A：猫と犬、どっちが好き？

友B：もちろん犬。猫＿＿＿＿、よく言うことを聞くじゃない？

3
友A：またバイト変えたんだって？

友B：今度のとこはいいよ。今までのバイト先＿＿＿＿、かわいい子が多いんだ。

4
校長：学力テストの結果はどうでしたか？

教頭：他校＿＿＿＿、著しく劣っています。

5
客：これはどうしてこんなに高いんですか？

店員：ほかのもの＿＿＿＿、強度が全然違いますから。

6
友A：あれ？　コンタクトやめたの？

友B：メガネ＿＿＿＿めんどくさいんだもん。

［こたえ］1 に比べて　2 にひきかえ　3 にひきかえ　4 に比べて　5 に比べて　6 にひきかえ

作ってみよう

「にひきかえ」を使って、会話を完成させましょう。

1 夫婦げんか

夫：お隣の奥さん、いつもきれいに化粧して、いいよなあ。それにひきかえおまえは……。
妻：何よ。あなただって_____！

2 うらやましい家

妹：見て。素敵なうちねえ。
姉：_____……。

「に比べて」を使って、会話を完成させましょう。

3 家電

客　：この冷蔵庫、どこが最新式なんですか？
店員：_____。
客　：ふーん。すごいですね。

4 専門学校

高校生　　　　　　：A専門学校とB専門学校は、どちらが就職に有利ですか。
進学相談の教師：そうですね。_____。

話してみよう

1. 二人は友達同士です。二人とも田舎が好きで、今、田舎に旅行に来ています。都会の生活を思いながら「にひきかえ」を使って話しましょう。
2. 二人は、化粧品売り場で商品選びに迷っている客と、商品をすすめる店員です。「に比べて」を使って話しましょう。

23 「までだ」vs「しかない」

使い方を確認しよう

までだ　開き直り　★

1
ちょっと遊びに行ってくる
では私がお供を

2
鬼が出たら姫をお守りせねば

3
おまえじゃ一飲みにされちゃうよ
そのときは腹の中を刺して吐き出させるまでです

4
本当に飲み込まれちゃったー
わー
あーん

うまくいかなかった場合を仮定し、そのときに取る行動を言うとき、使います。「うまくいかなかったら？　それがどうした！　どうってことはない」という、強がった気持ち、開き直った気持ちを表すことができます。

- 親に反対されたら、家出するまでだ。
- 試験に落ちたら、留年するまでだ。
- 借金が返せなかったら、この家を売るまでだ。

一飲み　　swig　　一口喝（呑）下去　　한번에 (한입에) 마심

違いは何？

- 今度の試合に勝てなかったら、引退するまでだ。
- 今度の試合に勝てなかったら、引退するしかない。

しかない　　潔く現実を受け止める　　★★★

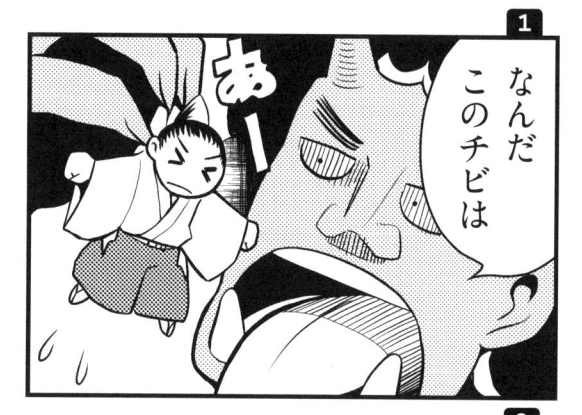

1 なんだこのチビは

2 本当に飲み込まれちゃった　こうなったらこの腹の中で暴れるしかない

3 いててて　姫様ー！　えい　えい

4 ええー

仮定の場合でも、現実に直面した場合でも、取るべき道にほかの可能性はなく、これ一つ、という決意を表します。現実から目をそらさない、現実を受け止める気持ちが感じられます。

- もしビザの延長ができなかったら、帰国するしかない。
- この会社を建て直すには、私が社長になるしかない。
- 社会をよくするためには、子どもの教育を何とかするしかない。

入れてみよう

次の会話の＿＿＿に、「までだ」か「しかない」のどちらか、より適切なほうを入れましょう。

1
友A：宿が取れなかったら、どうすんだよ？
友B：そんときは、野宿する＿＿＿よ。

2
母：何、あれは？！
子：わー。どこまで続くんだろう。これは登る＿＿＿な。

3
友A：こんなとこに書いてて、ヤバくない？
友B：見つかったら、逃げる＿＿＿よ。

4
子ども：痛いよ、痛いよ～。
歯医者：もう抜く＿＿＿ね。

5
友A：ボール、大丈夫かな？
友B：向こうに行ったら、取りに入る＿＿＿よ。

6
巨人：うまそうな子だ。おまえを食ってやる。
子ども：こうなったら戦う＿＿＿。

［こたえ］ 1 しかない　2 しかない　3 しかない　4 までだ　5 しかない　6 しかない

作ってみよう

「までだ」を使って、会話を完成させましょう。

1 山

村人A：今年は、熊が多いからね。キノコ採りに行くのはやめよう。
村人B：大丈夫だよ。＿＿＿＿＿＿＿＿＿＿＿＿＿＿＿＿＿＿＿＿＿＿＿＿＿＿＿＿。

2 父親

男：きみのお父さん、ぼくたちの結婚、許してくれるかな。反対されたら、どうしよう？
女：＿＿＿＿＿＿＿＿＿＿＿＿＿＿＿＿＿＿＿＿＿＿＿＿＿＿＿＿＿＿＿＿＿＿＿＿。

「しかない」を使って、会話を完成させましょう。

3 うれしいアクシデント

社員A：こんなとこで何やってんの？
社員B：事務所のカギが壊れたみたいで、入れないんですよ。
社員A：＿＿＿＿＿＿＿＿＿＿＿＿＿＿＿＿＿＿＿＿＿＿＿＿＿＿＿＿＿＿＿＿。

4 誘い

姉：またデートのお誘いメール。何回断っても来るんだから、嫌になっちゃう。
妹：もう＿＿＿＿＿＿＿＿＿＿＿＿＿＿＿＿＿＿＿＿＿＿＿＿＿＿＿＿＿？

話してみよう

1 二人は、会社を辞め、新しい仕事を始めることにした夫と、その妻です。夫の失敗を心配する妻に、「までだ」を使って開き直りましょう。

2 二人は会社の同僚です。会社を代表して新製品のプレゼンテーションをすることになり不安を感じている同僚を、「しかない」を使って、励ましましょう。

24 「までもない」vs「ことはない」

使い方を確認しよう

までもない それほどのものじゃない ★

1
今度の出張 私が行こうか
いえ、社長が行くまでもありません

2
じゃ 私が行こうか
いえ、部長が行くまでもありません

3
私が行こう
いえ、課長が行くまでもありません

4
今度の出張は私一人でがんばってきます！

それをするほどのものではない、その労力は必要ない、と言いたいときに使います。自分のことに使うときには、自信を表すこともできますが、文脈によっては、傲慢な印象を与えることもあります。

- 食べてみるまでもない。これはもう腐っている。
- 鑑定するまでもない。この絵は贋作だ。
- 勝つのは私だ。対戦するまでもない。

違いは何？
- そこまでなら、タクシーに乗るまでもない。
- そこまでなら、タクシーに乗ることはない。

ことはない　　そんなことはする必要がない　★★★

1　今度の出張、行くことはないよ／電話会議で済ませよう

2　そうですね　行くことはないよ／メールでもやりとりできそうだし

3　そうですね　行くことはないよ／FAXもあるし

4　泣くことはないでしょう／めそめそ

なぜそんなことをするのだ、そんなことは必要ない、と言いたいときに使います。使い方によっては助言や励ましになりますが、場合によっては投げやりな気持ちを表すことにもなります。

- 時間はたっぷりある。急ぐことはない。
- それぐらいの失敗で、会社を辞めることはない。
- あんなやつの言うことを、気にすることはない。

入れてみよう

次の会話の_____に、「までもない」か「ことはない」のどちらか、より適切なほうを入れましょう。

1
弟：これ、わかる？ 
兄：こんな問題、考える_____よ。

2
母：またこんな点、取って！ 
子：殴る_____だろ。

3
娘：お父さん、私、結婚したいんだけど。 
父：急ぐ_____だろ。おまえはまだ16だぞ。

4
友：このワインの銘柄わかる？飲んでみて。 
ソムリエ：飲む_____よ。色と香りでわかる。

5
助手：先生、準備ができました。 
獣医：こんな傷、私が診る_____。君がやりなさい。

6
店員A：あのお客様にお水を。 
店長：持っていく_____よ。コーヒー1杯で3時間も粘る客に。

[こたえ] 1 までもない 2 ことはない 3 ことはない 4 までもない 5 までもない 6 ことはない

作ってみよう

「までもない」を使って、会話を完成させましょう。

1 築50年のアパート

不動産屋：この写真が月1万円のアパートですが、見に行かれますか。
客　　　：＿＿＿＿＿＿＿＿＿＿＿＿＿＿＿＿＿＿＿＿＿＿＿＿＿＿＿＿＿＿＿。
不動産屋：ですよね。

2 遅刻の常習犯

高校生：遅れてすみません。実は……。
教師　：＿＿＿＿＿＿＿＿＿＿＿＿＿＿＿＿＿＿＿＿＿＿＿＿＿＿＿＿＿＿＿＿。
高校生：はあ。

「ことはない」を使って、会話を完成させましょう。

3 旅行の準備

妻：旅行の準備、どうしよう。
夫：＿＿＿＿＿＿＿＿＿＿＿＿＿＿＿＿＿＿＿＿＿＿＿＿＿＿＿＿＿＿＿＿＿＿。

4 子どものけんか

母親：宏がね、良夫君を殴ったんだって。電話して謝ろうかな。
父親：＿＿＿＿＿＿＿＿＿＿＿＿＿＿＿＿＿＿＿＿＿＿＿＿＿＿＿＿＿＿＿＿。
母親：でもー。

話してみよう

1. 二人は夫婦です。何か提案しても、すぐ「までもない」と言う夫に腹を立てて言い返しましょう。

2. 二人は兄弟です。「ことはない」を使って、口げんかしましょう。

25 「ようにも〜ない」vs「ようがない」

✍ 使い方を確認しよう

ようにも〜ない しようと思っても、無理 ★

【1】今日の体育は寒中水泳！

【2】これじゃ泳ごうにも泳げません／ならばマラソンだ

【3】これじゃ走ろうにも走れません

【4】自習！

その気はあっても、さまざまな事情からできないときに使います。やろうとはした、そうしたい強い気持ちはあるんだ、ということをアピールしながら、今のこの状態では無理だ、ということを表します。

- こんな難しい文章、辞書がないんじゃ、読もうにも読めない。
- 風が強くて、傘を差そうにも差せなかった。
- なかなかタクシーがつかまらなくて、早く帰ろうにも帰れなかった。

寒中水泳　winter swimming　冬泳　한겨울에 하는 수영

違いは何？
- 台風のため、学校に行こうにも行けない。
- 台風のため、学校に行きようがない。

ようがない　方法がない　★★★

第2部　意味が似ている表現

1 今日こそ寒中水泳だ！氷をぶち割れ！

2 割りようがありません　ならばマラソンだ道を作れ！

3 作りようがありません

4

能力的には可能な場合でも、手段がないために可能ではない、というとき使います。方法がないのだ、ということをアピールできます。

- ペンも紙もなくて、メモのしようがなかった。
- 水が出ないのだから、顔の洗いようがない。
- こぼした水は、元に戻しようがない。

ぶち割る　　smash　　打碎；砸烂　　난폭하게 부수다

入れてみよう

次の会話の＿＿＿に、（　）の動詞と「ようにも～ない」か「ようがない」のどちらか、より適切なほうを使い、必要なら形を変えて入れましょう。

1
看守：逃げるなよ。 
（逃げる）
囚人：＿＿＿＿＿＿＿＿＿＿だろ。

2
友A：休憩終わり！　行こう！ 
（立つ）
友B：待って。＿＿＿＿＿＿＿＿＿＿んだから。

3
子：ねえ、パパ、これ直して。 
（直す）
父：工具もないし、うちじゃ＿＿＿＿＿＿＿＿＿＿。

4
友A：何て書いてある？ 
（読む）
友B：字が汚なすぎて、＿＿＿＿＿＿＿＿＿＿。

5
妻：ねえ、まだ着かないの？ 
（進む）
夫：＿＿＿＿＿＿＿＿＿＿んだよ。

6
男：今日はぼくが作るよ。何にする？ 
（作る）
女：これじゃあ、＿＿＿＿＿＿＿＿＿＿んじゃない？

[こたえ]　1 逃げようがない　2 立とうにも立てない　3 直しようにも直せない　4 読もうにも読めない　5 進もうにも進めない　6 作りようがない

作ってみよう

「ようにも～ない」を使って、会話を完成させましょう。

1 冬の朝
妻：最近、起きるの遅いんじゃない？
夫：うん。_____。

2 パーティー
妻：遅かったじゃない！　途中でパーティー抜け出すんじゃなかったの？!
夫：_____。

「ようがない」を使って、会話を完成させましょう。

3 とれたボタン
友A：ボタン付けたいんだけど、針と糸ある？
友B：ない。
友A：_____。

4 音信不通
女：今日は一日、どうして連絡くれなかったの？
男：_____。

話してみよう

1. 二人は夫婦です。妻が、料理を食べない理由を聞くので、「ようにも～ない」を使って、それに答えましょう。
2. 二人は友達同士です。無人島にキャンプに来たのに、いろいろ道具を忘れて来てしまいました。「ようがない」を使って話しましょう。

26 「以上」 vs 「手前」

使い方を確認しよう

以上 強い決意や覚悟 ★★

1. 私が担任になった以上　君たちにはしっかり勉強してもらう
2. そして全員にいい成績をとらせてやる
3. 僕たちもテストを受ける以上　みんなで協力していい点をとってみせます
4. （じぃー／コン コン／イラッ）

目の前にある事実、現実から導き出される結果の行動はこうなる、ということの表明です。自分の行動について言うときは、強い決意を、ほかの人の行動について言うときは、覚悟や責任を促します。発言する人の厳しさが感じられます。

- 収益が見込めない以上、撤退するしかない。
- 引き受けた以上、途中で投げ出すことは許されない。
- 政治家である以上、国民の利益について考えるのは当然だ。

違いは何？
- 言った以上、やるしかない。
- 言った手前、やるしかない。

手前　メンツを守りたい　★

1　先生……一生懸命担任やるんじゃなかったんですか

2　あのときは校長がいた手前カッコつけたんだ　自習！

3　おまえらだってカッコいいこと言ってカンニングか？

4　だからああ言った手前しょうがなくテスト中に協力しあってるんですよ

自分のプライドや世間からの評価を守りたかったり、負い目があったりするために、いつもとは異なる行動をとるときに使います。こんなことをするのはしょうがないのだ、という思いが伝わります。

- 夫が入院している手前、パーティーの参加は取りやめた。
- 部下に見られている手前、偉そうなことを言ってしまった。
- 奨学金をもらっている手前、行事を休むことはできなかった。

第2部　意味が似ている表現

入れてみよう

次の会話の＿＿＿に、「以上」か「手前」のどちらか、より適切なほうを入れましょう。

1
夫：PTAの役員、どうした？ 
妻：5人も子どもが世話になってる＿＿＿、引き受けた。

2
弁護士A：早く終わらせて帰りましょう。 
弁護士B：人の運命を握っている＿＿＿、いい加減なことはできません。

3
社長：我が社はもう終わりか?! 
部下：はい。不正が公になってしまった＿＿＿、これまでですね。

4
友A：例のDVDは？ 
友B：弟が一緒だった＿＿＿、借りられなかった。

5
教授：今日はもういいですよ。 
助手：いえ。今日中にやると言った＿＿＿、終わるまで帰りません。

6
友A：もう帰れよ。 
友B：家出してきた＿＿＿、そんなに早く帰れないよ。

[こたえ] 1 手前 2 以上 3 以上 4 手前 5 以上 6 手前

作ってみよう

「以上」を使って、会話を完成させましょう。

1 留学

高校生：来月から1年間、イギリスで勉強することになりました。
中学のときの恩師：そうか。_____。

2 出場決定

息子：お父さん、ぼく、代表選手に決まったよ。
父親：そうか。_____。

「手前」を使って、会話を完成させましょう。

3 打算

アルバイト店員A：きみ、最近、ずいぶん熱心だね。
アルバイト店員B：_____。

4 借金

兄：出掛けんの？
弟：うん。まさるの引っ越しの手伝い。
兄：おまえ、あいつ、嫌ってなかった？
弟：_____。

話してみよう

1 二人は、新商品を開発することになった会社員です。「以上」を使って、開発への決意を話しましょう。

2 二人は、大変な仕事を引き受けてしまった会社員です。「手前」を使って、引き受けてしまったことをぼやきましょう。

27 「きり」vs「たら最後」

使い方を確認しよう

きり そのまま続きがない ★★

【1】
やあ
先生ー！

【2】
1週間前にシャワー浴びたきり身体洗ってないでしょう
病院なんだから清潔にしてください！

【3】
すみません
……まったく

【4】
帰れ！
実は歯も十日前に磨いたきりです

普通はそれで終わりにはならないことや、時が来れば当然するべきことをしない、というときに使います。それで行動が途切れてしまった、その終わり方は普通ではない、という思いを表します。

- 父とは、10年前に別れたきりだ。
- この部屋は、子どものときに開けたきり、一度も開けていない。
- その船は、しけの日に海に出たきり、戻ってこなかった。

違いは何？
- 兄は山へ行ったきり、何日も帰ってこない。
- 兄は山へ行ったら最後、何日も帰ってこない。

たら最後　もとには戻らない ★

1 先生は極端なんですよ

2 仮眠室に入ったら最後、誰がどうやっても起きないし

3 仕事を始めたら最後、倒れそうになるまでやめないし

4 ドクターがドクターストップだなんて聞いたことがないわ

何かを始めたら、常識の範囲内では終わらず、極端までいくことを表すときに使います。そうなったら大変なことになる、ということがわかっているときにも使います。どちらの場合も「大変だ」という思いを表します。

- 彼は、パチンコに行ったら最後、閉店まで帰ってこない。
- この薬に手を出したら最後、やめられなくなる。
- 少しでも締め切りに遅れたら最後、契約を切られてしまう。

第2部　意味が似ている表現

177

入れてみよう

次の会話の＿＿＿に、「たきり」か「たら最後」のどちらか、より適切なほうを入れましょう。

1
近所の人：最近、トラちゃん見かけませんけど？

飼い主：1週間ぐらい前に出て行っ＿＿＿、帰って来ないんですよ。

2
王子様：美しい。眠っているのか？

小人：りんごを一口食べて倒れ＿＿＿、ずっとこうなんです。

3
夫：ねえ、もう一口だけ、少しだけでいいから、お願い。

妻：絶対ダメ！　酔っぱらい出し＿＿＿、意識を失うまで飲むんだから。

4
弟：お母さん、おなかすいた。おーい、腹へった！　母ちゃん、死ぬー!!　ワワワー!!!

兄：ゲームを始め＿＿＿、何言ってもムダだよ。

5
親戚のおばさん：よしこさんは元気？

よしこの妹：さあ、5年前に会っ＿＿＿、電話もしていませんから。

6
警官A：この犬ですか、警察犬No.1というのは？

警官B：ええ。くいつい＿＿＿、決して放しません。

[こたえ]　1たきり　2たきり　3たら最後　4たら最後　5たきり　6たら最後

作ってみよう

「きり」を使って、会話を完成させましょう。

1 ひどい髪

友達A：今のおまえの髪、ひどいね。
友達B：うん。_____。

2 貧乏な友達

友達A：何か食べさせて。
友達B：どうしたの？
友達A：_____。

「たら最後」を使って、会話を完成させましょう。

3 休みの日

子：お母さん、朝早く出かけたけど、まだ帰って来ないの？
父：_____。

4 話し好きのおばさん

姉：もうすぐおばさん来るのに、どこ行くの？
弟：逃げるんだよ。
姉：どうして？
弟：_____。

話してみよう

1 二人は友達同士です。人から聞いた不可思議な出来事を、「きり」を使って話しましょう。

2 二人は友達同士です。「たら最後」を使って、一度始めたらなかなかやめない迷惑な人について話しましょう。

28 「て以来」vs「てからというもの」

使い方を確認しよう

て以来 そのときを境に続く状態を話す ★★

1 私は耳の手術をして以来、人の本音が聞こえるようになりました

2 私は目の手術をして以来、人の本心が見えるようになりました／カラダが目当てだよ

3 私は鼻の手術をして以来、善人悪人が嗅ぎ分けられるようになりました

4 それはすばらしい！／手術は失敗／とんだ副作用／この野郎――！

一つの出来事を境目として、それ以前とは異なる状態がずっと続いていると言いたいとき使います。特別な感情移入はせず、その変化を事実として認め、客観的に話します。

- 子どものころ犬に噛まれて以来、私は犬が怖い。
- 父は中学を出て以来、漁師をしている。
- 小学生のとき溺れかけて以来、一度も海に行っていない。

違いは何？

- 兄が家を出て以来、母は父と口を利かない。
- 兄が家を出てからというもの、母は父と口を利かない。

てからというもの　ドラマのように大きな変化を語る ★

1 彼は信じていた人の本音を聞いてからというもの誰とも話ができなくなってしまったのです

2 彼女は愛していた人の本心を見てからというもの誰にも会えなくなってしまったのです

3 彼は尊敬していた人の正体を知ってからというもの人の口でしか息ができなくなってしまったのです

4 それからというものウチには患者が寄りつかなくて…

予期していなかったことが起こり、その後の様子が大きく変わってしまったときに使います。その一連のストーリーはドラマを見ているようであり、話し方はドラマのナレーションのような口調になります。

- 事故で片腕を失ってからというもの、友人は心を閉ざしてしまった。
- 祖父は、足の骨を折ってからというもの、自分で何かをしようという気をなくしてしまった。
- 彼は競馬で大金を手にしてからというもの、賭け事にどっぷりつかり、仕事をしなくなってしまった。

入れてみよう

次の会話の＿＿＿に、「て以来」か「てからというもの」のどちらか、より適切なほうを入れましょう。

1
悟のおじ：悟君、どうしたの？ 
悟の姉：ボヤ騒ぎを起こし＿＿＿＿＿＿＿、火を見るとパニックになってしまうんです。

2
隣人A：お宅のご主人は優しくていいですね。 
隣人B：キャバクラに行ったのがバレ＿＿＿＿＿＿、私に頭が上がらないんですよ。

3
隣人A：ここの家、もう誰も住んでいないんですか？ 
隣人B：いいえ、ご主人がいるんですけどね、奥さんが亡くなっ＿＿＿＿＿＿、家から出なくなってしまったんですよ……。

4
隣人A：今日も陶芸教室ですか？ 
隣人B：ええ。先月、体験し＿＿＿＿＿＿、はまっちゃって。

5
隣人A：お宅の猫ですか？ 
隣人B：一度餌をやっ＿＿＿＿＿＿、よく来るんですよ。

6
学生：ぼくは何も知りません。 
教師：君はカンニングをとがめられ＿＿＿＿＿＿、復讐の機会をうかがっていた……そうだね？!

[こたえ] 1 てからというもの 2 て以来 3 てからというもの 4 て以来 5 て以来 6 てからというもの

作ってみよう

「て以来」を使って、会話を完成させましょう。

1 好き嫌い（食べ物）

友A：あれ？　魚、嫌いなんじゃなかった？　おいしそうに食べてるけど。
友B：＿＿＿＿＿＿＿＿＿＿＿＿＿＿＿＿＿＿＿＿＿＿＿＿＿＿＿＿＿＿＿＿＿＿＿＿＿＿。

2 好き嫌い（恋人）

友A：最近、デートとか、してないみたいだけど、別れたの？
友B：＿＿＿＿＿＿＿＿＿＿＿＿＿＿＿＿＿＿＿＿＿＿＿＿＿＿＿＿＿＿＿＿＿＿＿＿＿＿。

「てからというもの」を使って、会話を完成させましょう。

3 祖父の変化

子ども：最近、おじいちゃん散歩に行かなくなったね。
母親　：＿＿＿＿＿＿＿＿＿＿＿＿＿＿＿＿＿＿＿＿＿＿＿＿＿＿＿＿＿＿＿＿＿＿＿＿＿。

4 悩み相談

学生　：仲のよかった友達が、＿＿＿＿＿＿＿＿＿＿＿＿＿＿＿＿＿＿＿＿＿＿＿＿＿＿。
学生課：それは困りましたね。あなたの気持ちを手紙に書いて出してみたらどうですか。

話してみよう

1. 二人は、会社の先輩と後輩です。「て以来」を使って、先輩に悩みを相談しましょう。
2. 二人は、姉と妹です。大金を手に入れて変わってしまった恋人のことを「てからというもの」を使って、妹に話しましょう。

第2部　意味が似ている表現

29 「といったらない」vs「てならない」

使い方を確認しよう

といったらない　程度が極端　★

1
よーいドン！

2
あれ、こんなところで休んでていいの？

だってカメくん遅いといったらないんだもん

3
（ウァァ）

4
うわーカメくんに負けちゃった　恥ずかしいといったらないよー

この穴に入っていいよ

自分が経験して「程度が極端だ、これは普通じゃない」という感想を表します。「ねえ、ちょっと聞いてよ、すごいんだから」と話したいときに、友人・家族に使います。

- 年末が近づいて、忙しいといったらない。
- 満天の星の美しさといったらない。
- 上司にあれこれ言いつけられて、面倒くさいといったらない。

違いは何？
- 虫歯を抜かれて、痛いといったらない。
- 虫歯を抜かれて、痛くてならない。

てならない　湧き上がる感情の表明　★★

1　ヤッター！

2　今のお気持ちは？／うれしくてなりません

3　今のお気持ちは？／恥ずかしくてなりません

4　泣いたんですか？目が赤いですけど／違います

これ以上のものはないという、自然に湧き上がり抑えきれない気持ちを表します。聞く人に、簡潔で明瞭な印象を与えることができるので、インタビューに答えるときに使うと効果的です。

- 将来を思うと不安でならない。
- 我が子と一緒に暮らせないと思うと、苦しくてならない。
- 対立政治家の失言が、おかしくてならない。

入れてみよう

次の会話の_____に、（　）の言葉と、「といったらない」か「てならない」のどちらかより適切なほうを使い、必要なら形を変えて入れましょう。

1
妻：あれ？　手も顔もベタベタじゃない？

（食べにくい）
夫：_____んだもん。こんなに大きいハンバーガー買ってくるから。

2
インタビュアー：わずかに足が出てしまいましたね。

（残念）
走り幅跳びの選手：はい。_____。

3
再犯者：すみません。また盗みを働いてしまって。

（悲しい）
弁護士：あなたと再びこんな所で会うなんて、_____。

4
夫：ふーっ。

（けむい）
妻：たばこやめてよ。_____。

5
いとこA：どうしたの？　疲れた顔して。

（うるさい）
いとこB：おばさん二人、車で送ったらね、_____の。事故、起こしそうになっちゃった。

6
警官：あなたですね?!　毎日ここの鶏にこんなことをしていたのは。

（腹が立つ）
男：毎朝毎朝うるさくて！_____んですよ。

[こたえ] 1食べにくいといったらない 2残念でなりません 3悲しくてなりません 4けむいといったらない 5うるさいといったらない 6腹が立ってならなかった

作ってみよう

「といったらない」を使って、会話を完成させましょう。

1 会社

友A：会社、辞めようかな。
友B：どうして？　入ったばかりだろう？
友A：＿＿＿＿＿＿＿＿＿＿＿＿＿＿＿＿＿＿＿＿＿＿＿＿＿＿＿＿＿＿＿＿。
友B：もう少しがんばれよ。

2 恋人

友A：もう彼と別れようかな。
友B：どうして？
友A：＿＿＿＿＿＿＿＿＿＿＿＿＿＿＿＿＿＿＿＿＿＿＿＿＿＿＿＿＿＿＿＿。
友B：じゃ、別れちゃえば。

「てならない」を使って、会話を完成させましょう。

3 試合後

インタビュアー：今のお気持ちは？
選手　　　　　：＿＿＿＿＿＿＿＿＿＿＿＿＿＿＿＿＿＿＿＿＿＿＿＿＿＿。

4 事件

警察　：なぜ刺した？　友達じゃなかったのか？
大学生：＿＿＿＿＿＿＿＿＿＿＿＿＿＿＿＿＿＿＿＿＿＿＿＿＿＿＿＿＿＿。

話してみよう

1 二人は友達同士です。「といったらない」を使って、友達にペットの自慢をしましょう。

2 二人は、手術を受けることになった患者と、その医者です。患者は、「てならない」を使って、医者に不安を訴えましょう。

30 「ともなると」vs「だけあって」

使い方を確認しよう

ともなると 事実を知って驚いた ★

1. （大きな家に走っていく様子）
2. 社長ともなると いい家に住んでるな
3. 社長ともなると 車もすごいし
4. 社長ともなると セキュリティも万全だな

今まで馴染んできたのとは異なる状況や人物に触れ、今までとは異なる様子を知ったり、経験したりして、驚いたり、感心したりしたときに使います。「知らなかった」という気持ちを表すことができます。

- 高校生ともなると、化粧を始める女子が増えてくる。
- 残業が毎日ともなると、疲労の色が濃くなる。
- 人気店ともなると、1年先まで予約で埋まっているそうだ。

違いは何？

- チャンピオンともなると、強い。
- チャンピオンだけあって、強い。

だけあって　予想は当たった　★★

第2部　意味が似ている表現

1 刑務所だけあって飯、まずいな

2 刑務所だけあって寒いし

3 刑務所だけあって自由もないし

4 次は捕まらない家に入ろう……

前半の事実から、「こうだろう」という予想はしていたが、実際に見聞きしてみたら予想通りだった、というときに使います。「だからこうだろうとは思っていたけど、本当だった」と感心する気持ちを表すことができます。

- 彼はモデルだけあって、カッコいい。
- ここは、テレビで紹介されるだけあって、いい温泉だ。
- 社長が見込んだだけあって、今度の新人は仕事ができる。

入れてみよう

次の会話の＿＿＿に、「ともなると」か「だけあって」のどちらか、より適切なほうを入れましょう。

1
友A：ウソ。サラダ一皿が2,000円だって?! 
友B：一流レストラン＿＿＿＿＿サラダも高くなるんだね。

2
友A：やっぱりね。 
友B：うん。一流レストラン＿＿＿＿＿高いね。

3
教師A：あの生徒が勉強していますよ。 
教師B：受験生＿＿＿＿＿違いますね。

4
教師A：毎年、受験生はよく勉強しますね。 
教師B：ええ。このクラスも受験生＿＿＿＿＿、ちゃんとやってますね。

5
友人：普通、花嫁は落ち着かないんじゃないの。 
新婦：5回目＿＿＿＿＿、緊張しなくなるのね。

6
新婦：さあ、あなた、次はケーキカットよ。 
友人：5回目＿＿＿＿＿、落ち着いたものだね。

[こたえ] 1ともなると 2だけあって 3だけあって 4ともなると 5ともなると 6だけあって

作ってみよう

「ともなると」を使って、会話を完成させましょう。

1 姉の変化

妹：お姉ちゃん、赤ちゃん産んでから変わったと思わない？
弟：うん。前はすぐ怒ったり泣いたりしたよな。
妹：＿＿＿＿＿＿＿＿＿＿＿＿＿＿＿＿＿＿＿＿＿＿＿＿＿＿＿＿＿＿＿＿＿＿＿＿＿＿＿。

2 王室

妻：見て。結婚式のニュースやってる。
夫：＿＿＿＿＿＿＿＿＿＿＿＿＿＿＿＿＿＿＿＿＿＿＿＿＿＿＿＿＿＿＿＿＿＿＿＿＿＿＿。
妻：私たちとは大違いね。

「だけあって」を使って、会話を完成させましょう。

3 新任教師の能力

高校生A：今度来た先生、すごいんだって？
高校生B：＿＿＿＿＿＿＿＿＿＿＿＿＿＿＿＿＿＿＿＿＿＿＿＿＿＿＿＿＿＿＿＿＿＿。

4 旅先の魅力

友A：旅行、すごく楽しかったね。
友B：うん。＿＿＿＿＿＿＿＿＿＿＿＿＿＿＿＿＿＿＿＿＿＿＿＿＿＿＿＿＿＿＿＿。

話してみよう

1. 二人はテレビのニュースを見ていて、目を引かれました。その場面について「ともなると」を使って話しましょう。

2. 二人は、デパートで高級品を手にしています。「だけあって」を使って感想を言いましょう。

第2部　意味が似ている表現

31 「なくもない」vs「ないことはない」

使い方を確認しよう

なくもない 気持ちはある、でも少しだけ ★

1
- この部屋寒くない？
- 寒くなくもないけど、暖房ないし

2
- 一人で寂しくない？
- 寂しくなくもないけど、こいつがいるし

3
- 結婚とか考えないの？
- 考えなくもないけど、相手いないし

4
- じゃあ私は何なのよ！？
- 何なの？

その気持ちが全くないわけではない、少しはある、と言いたいときに使います。しかし、自分でもはっきりしない思いだったり、消極的な思いであるため、断定することができません。また、断定することに対する恐れや警戒の気持ちも表せます。

- 同情の余地がなくもないが、罪は罪だ。
- 我が子の身勝手さには腹が立たなくもないが、もう諦めている。
- 将来に不安を覚えなくもないが、今考えてもしょうがない。

違いは何？
- 日本で就職したくなくもない。
- 日本で就職したくないことはない。

ないことはない　OK、でも大変　★★

1　料理手伝って
2　片付け手伝って／ごちそうさま
3　手伝わないことはないけどバッグ買ってくれる？
4　手伝わないことはないけど靴買ってくれる？／ところで私たちそろそろ結婚しない？／しないよ

いろいろ大変だけど我慢すればできる、あるいは、要求を受け入れてくれるならやってもいい、と言いたいときに使います。気持ちよく簡単にはいかないという印象を表すことができます。

- 月10万で生活できないことはないが、非常に厳しい。
- ここからキャンプ場まで、歩いて行けないことはないが、時間がかかる。
- ギューギューだけど、まだ乗れないことはない。

入れてみよう

次の会話の＿＿＿＿に、「なくもない」か「ないことはない」のどちらか、より適切なほうを入れましょう。

1
妻：見て、あの子。嫌ねえ。 
新車が欲しい夫：いや。あの気持ち、わから＿＿＿＿＿＿。

2
妻：うちもペットほしいと思わない？ 
夫：思わ＿＿＿＿＿＿けど……。

3
登山客：こっちの道、行けませんか？ 
ガイド：行け＿＿＿＿＿＿んですけど、かなり険しい道ですよ。

4
知人A：あれっ、これ、お嫌いですか？ 
B：食べられ＿＿＿＿＿＿んですけどね。できれば遠慮したいですね。

5
妻：あれっ？　もしかして老眼？ 
夫：いや、見え＿＿＿＿＿＿んだよ。でもこのほうが楽だから。

6
妻：少しは出世しようという気はないの？ 
夫：＿＿＿＿＿＿けど、いいよ、今のままで。

[こたえ]　1 なくもない　2 なくもない　3 ないことはない　4 ないことはない　5 ないことはない　6 なくもない

作ってみよう

「なくもない」を使って、会話を完成させましょう。

1 体型

妻：そんなに食べていいの？ お腹回り気にならない？
夫：_____。

2 将来

兄：いつ見ても、楽しそうにマンガ読んだりゲームしたりしてるけど、将来に対する不安とか、ないの？
弟：_____。

「ないことはない」を使って、会話を完成させましょう。

3 買い物

夫：このテレビ、届けてもらわない？
妻：えっ？ 持って帰れないの？ 送料かかるでしょ。
夫：_____。

4 ブーツ

娘：ねえ、新しいブーツ買って。
母：ブーツならあるでしょ？ あれはどうしたの？
娘：_____。

話してみよう

1. 二人は親子です。あしたからの試験について、子どものやる気を心配する母親に、「なくもない」を使って答えましょう。
2. 二人は友達同士です。引っ越しの手伝いを頼む友達に、「ないことはない」を使って、条件付きで引き受けましょう。

32 「をものともせず」vs「もかまわず」

使い方を確認しよう

をものともせず そんな障害は何でもない ★

1
忍者はすごい？
うん、高い塀をものともせず忍び込むからね

2
せっけんはすごい？
そうだね いっぱいいるバイキンをものともせずやっつけるからね

3
お母さんは？
すごいよー

4
大きいゴキブリをものともせず一日中おうちにいるからね

普通なら大きな障害となって、諦めたり、迷ったり、大変な思いをする厳しい状況を、「問題にならない、大丈夫」と言いたいときに使います。強さを誇張し、高揚感を表すことができます。

- そのロボットは、敵の攻撃をものともせず、全滅させてしまった。
- 私のチームは、並みいる強豪をものともせず、圧倒的な強さで優勝した。
- ルパンは、厳しい警備をものともせず、財宝を盗み出した。

違いは何？
- 強い風雨をものともせず、外に出て行った。
- 強い風雨もかまわず、外に出て行った。

もかまわず　そんなことはどうでもいい　★★

1
お父さんはすごいの？
すごかったよ

2
泥だらけになるのもかまわず虫取りをしたり

3
服が破れるのもかまわずやぶの中を走り回ったり
今は？

4
太るのもかまわず毎日、暴飲暴食してる

普通なら嫌だとか、避けようと思うことを忘れてしまうほど、優先し、夢中になることがあるときに使います。

- 靴に泥水が入るのもかまわず、子どもたちは外で遊んでいる。
- 汗が流れ落ちるのもかまわず、父は犬小屋作りに熱中している。
- 子どものころは、口の周りがベチャベチャになるのもかまわず、西瓜にかぶりついたものだ。

| やぶ | thicket, underbrush | 草丛 | 덤불 |
| 暴飲暴食 | gluttony | 暴饮暴食 | 폭음폭식 |

入れてみよう

次の会話の＿＿＿＿に、「をものともせず」か「もかまわず」のどちらか、より適切なほうを入れましょう。

1
子：お父さん、雪、好きだよね。 
母：全身雪だらけになるの＿＿＿＿、転げ回ってるもんね。

2
先生：「西遊記」を知っていますか？ 
生徒：はい。次々と襲い掛かる妖怪＿＿＿＿、旅を続ける話です。

3
子：弁慶ってどんな人？ 
父：飛んで来る矢＿＿＿＿、主人を守ったんだよ。

4
母A：保母さんって、本当に子ども好きなんでしょうね。 
母B：ええ。ベタベタの手で触られるの＿＿＿＿、相手するんですからね。

5
友A：見て、あの二人。 
友B：蚊に刺されるの＿＿＿＿いちゃついてる。

6
先生：はやと君は、どうして消防士さんになりたいんですか？ 
はやと：迫り来る火＿＿＿＿、人を助けるからです。

［こたえ］ 1 もかまわず　2 をものともせず　3 をものともせず　4 もかまわず　5 もかまわず　6 をものともせず

作ってみよう

「をものともせず」を使って、会話を完成させましょう。

1 マンガ
弟：その主人公、強いの？
兄：うん。_____。

2 すごい派遣社員
社員A：新しく入ってきた派遣社員、すごいよ。
社員B：何が？
社員A：_____。

「もかまわず」を使って、会話を完成させましょう。

3 お母さんの好きなこと
妹：お母さんは何してるの？
姉：_____。

4 迷惑な乗客
友A：電車に乗ってて、腹立つことってない？
友B：あるある。_____。

話してみよう

1. 二人は友達同士です。「をものともせず」を使って、結婚したいタイプの人について話しましょう。

2. 二人は友達同士です。「もかまわず」を使って、子どものころ夢中になっていたことについて話しましょう。

33 「いかんで」vs「いかんでは」

使い方を確認しよう

いかんで 運命が決まる ★

(コマ1) 検査の結果いかんで治療方針を決めたいと思います
(コマ2) 検査!?
(コマ3)
(コマ4)

その後の状況に決定的な影響を与えるものがあるときに使います。運命が変わるほどの重さを表すことができます。

- CMの出来いかんで、商品の売れ行きは変わる。
- 自然が相手の職業は、天候いかんで収入が決まる。
- 家柄いかんで人生が決まった時代もある。

| 違いは何？ | ● コーチの指導いかんで、選手が変わる。
● コーチの指導いかんでは、選手が変わる。 |

いかんでは　両極端な結果 ★

第２部　意味が似ている表現

1 検査の結果いかんでは―

2 (笑顔のシーン)

3 手術もありえます

4 帰……

まだ結果はわからない、天国のような結果にも地獄のような結果にもなる場合がある、と言いたいときに使います。適度ではなく、両極端な結果を示します。

● 今後のやる気いかんでは、正社員の道もある。
● 耐震強度いかんでは、建築が許可されないこともある。
● 運転の仕方いかんでは、何人もの人が不幸になる。

入れてみよう

次の会話の＿＿＿に、「いかんで」と「いかんでは」のどちらか、より適切なほうを入れましょう。

1
王子の執事：おお、この靴にぴったりだ。王子と結婚されるのはあなただ。

シンデレラ：足の大きさ＿＿＿＿＿＿人生が決まるなんて、冗談じゃないわ。

2
父親：何とかうちの子を合格させてほしいんですが。

大学理事：寄付金＿＿＿＿＿＿考えなくもありませんが……。

3
飼い主：うちの子、ちっともいうことをきかなくて。私、もう、どうしたらいいか……。

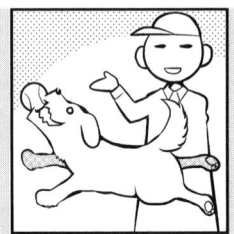

ドッグトレーナー：しつけの仕方＿＿＿＿＿＿変わりますよ。

4
総理：ボク辞めたくないんだけど。

秘書：次の支持率＿＿＿＿＿＿、退陣もあると思われます。

5
登山者：これって、おおげさじゃありません？

ガイド：装備＿＿＿＿＿＿生死が決まりますから。

6
夫：な、なに？　改まって。

妻：浮気した？　返答＿＿＿＿＿＿考えがあるから。

[こたえ] 1いかんで　2いかんでは　3いかんで　4いかんでは　5いかんで　6いかんでは

作ってみよう

「いかんで」を使って、会話を完成させましょう。

1 社員の運命

営業部長：また営業成績、最下位だったね。
部下　　：次、がんばります。
営業部長：＿＿＿＿＿＿＿＿＿＿＿＿＿＿＿＿＿＿＿＿＿＿＿＿＿＿＿＿＿＿＿。
部下　　：クビになるかもしれない、ということですか。

2 店の運命

シェフ：本日より、この店でお世話になります。
オーナー：＿＿＿＿＿＿＿＿＿＿＿＿＿＿＿＿＿＿＿＿＿＿＿＿＿＿＿＿＿＿＿＿。
シェフ：評判の店になるよう、腕を振るいたいと思います。

「いかんでは」を使って、会話を完成させましょう。

3 新製品

社員A：このジュースが売れるとは思えないんですけど。
社員B：＿＿＿＿＿＿＿＿＿＿＿＿＿＿＿＿＿＿＿＿＿＿＿＿＿＿＿＿＿＿＿＿＿。
社員A：そうでしょうか。

4 リストラ候補

上司：きみは、我が部のリストラ対象者の一人に挙げられている。
部下：やっぱり。
上司：しかし、＿＿＿＿＿＿＿＿＿＿＿＿＿＿＿＿＿＿＿＿＿＿＿＿＿＿＿＿。

話してみよう

1. 二人は、日本企業で就職したいと思っている外国人学生と、その教師です。面接の相談をする学生に、「いかんで」を使ってアドバイスしましょう。

2. 二人は、同じ会社の社員です。次期社長が誰になるかについて、「いかんでは」を使って予想しましょう。

34 「そばから」vs「が早いか」

使い方を確認しよう

そばから　やってもやっても無駄になる　★

1　(たぬきがいたずらをしている場面)

2　植えるそばから引き抜いて悪いタヌキだ／助けてー

3　(おにぎりを握っている場面)

4　作るそばから食べてしまって悪いタヌキだ／助けてー

ある人が何かをやってもやっても、やり終わるとすぐにほかの人がその結果を消すようなことを続けるため、せっかくの努力が無駄になってしまうときに使います。この二つの相反する行為がくり返される様子を表します。

- にぎるそばから子どもたちが食べるから、パーティーのおにぎりがちっとも出来上がらない。
- 小さい子どもは、ブロックを積み上げてもらうそばから壊していくのが楽しいようだ。
- いつまでも泡が消えないと思ったら、洗い流すそばから子どもがシャンプーを付けていた。

違いは何？	● シューティングゲームの得意な弟は、敵が出てくるそばから撃ち落とす。 ● シューティングゲームの得意な弟は、敵が出てくるが早いか撃ち落とす。

が早いか　その瞬間を待っていた　★

1 助けてよー ウサギだってきのう 畑に入るが早いか ニンジンを引き抜いてたじゃないか

2 あれはお手伝い／ばあさんが茶碗に入れるが早いか食べてたし

3 あれは味見

4 助けてよ！

普通なら手順を踏んで、あるいは多少の時間をおいて移る行動を、一瞬の間もなくすぐにする様子を見て、その人は本当にやりたかったんだ、そのときが来るのを待ち望んでいたんだ、と感じたときに使います。

● 公園のネコたちは、えさを目にするが早いか寄って来た。
● 学生たちは問題用紙を開くが早いか書きはじめた。
● スタートの合図を聞くが早いか、走者はいっせいに飛び出した。

入れてみよう

次の会話の_____に、「そばから」か「が早いか」のどちらか、より適切なほうを入れましょう。

1
妻：少しは片付けたら？
夫：片付ける_____散らかすんだよ。

2
妻：トラは？
夫：家に帰る_____こたつにもぐり込んでる。

3
妻：ぜんぜんできてないじゃない？
夫：だって並べる_____壊すんだもん。

4
妻：プハー！
夫：出た、スゴ技。ビールの栓を開ける_____飲み干しました！

5
孫：まだそのページ読んでるの？
祖母：この年になると、読んでく_____忘れるんだよ。

6
教師：山田君は毎朝、学校に来るのが早いですね。
山田：うちのばあちゃん、起きる_____お経を読みはじめるから、寝てられないんです。

[こたえ] 1 そばから 2 が早いか 3 そばから 4 が早いか 5 そばから 6 が早いか

作ってみよう

「そばから」を使って、会話を完成させましょう。

1 窓

妻：ちょっと！＿＿＿＿＿＿＿＿＿＿＿＿＿＿＿＿＿＿＿＿＿＿＿＿＿＿＿＿。
夫：だって寒いんだもん。
妻：しょうがないでしょ。今から掃除するんだから。

2 万引き

客　：お店、今月いっぱいで閉めちゃうんですって？
店主：＿＿＿＿＿＿＿＿＿＿＿＿＿＿＿＿＿＿＿＿＿＿＿＿＿＿＿＿＿＿＿。
客　：それはお気の毒に。

「が早いか」を使って、会話を完成させましょう。

3 小学生の放課後

母親A：まなぶちゃんは今日も塾ですか。
母親B：ええ、まあ。
母親A：うちの子なんて、＿＿＿＿＿＿＿＿＿＿＿＿＿＿＿＿＿＿＿＿＿＿＿。
母親B：いいじゃありませんか、子どもらしくて。

4 老人の生活

孫A：うちのばあちゃん、宵っ張りでさあ、夜中までテレビ見てんだ。参っちゃうよ。
孫B：うちのばあちゃんなんて、＿＿＿＿＿＿＿＿＿＿＿＿＿＿＿＿＿＿＿＿。
孫A：じゃ、朝、起きんの早いだろ。それもそれで大変だな。

話してみよう

1 二人は友達同士です。「そばから」を使って、迷惑な家族について話しましょう。

2 二人は友達同士です。「が早いか」を使って、人気アイドル歌手の新曲発売について話しましょう。

35 「ようが」vs「ようが〜まいが」

使い方を確認しよう

ようが 何があっても変わらない ★

1 世界を敵に回そうが……

2 ジュリエット ぼくは君と結婚する！

3 （無言のコマ）

4 そんなに思ってくれなくても……

厳しい仮定をして、それでも事態は変わらない、と言いたいときに使います。また、自分がしようとするときに使うと、それでも考えは変わらない、強い決意や信念を表すことができます。

- 台風が直撃しようが、この建物はビクともしない。
- みんなに笑われようが、今の研究をやめるつもりはない。
- この世からすべての武器が消え去ろうが、殺しはなくならないだろう。

| 違いは何？ | ● おまえが不幸になろうが、おれには関係ない。
● おまえが不幸になろうがなるまいが、おれには関係ない。 |

ようが～まいが　してもしなくても関係ない ★

1　君が

2　ぼくはいつも君のことだけを考えているよ

3　ぼくのそばにいようがいまいが

4　その思い重い

それをしてもしなくても「そんなことは関係ない」と言いたいときに使います。相手に行動を要求するときは冷たい厳しさを、自分の考えや意見を言うときは強い思いを表すことができます。

- 恋をしようがするまいが、仕事はしっかりやってほしい。
- いい点数を取ろうが取るまいが、我が子には、いつも元気で明るくいてほしい。
- 太ろうが太るまいが、食べたいものは食べたい。

入れてみよう

次の会話の＿＿＿の、「～ようが～まいが」の中で、必要がなければ、「～まいが」の部分を＝で消しましょう。

1
ひよこ：空を飛びたい。 
親鶏：寝ないでがんばろうががんばるまいが、無理だよ。

2
弟：たばこ、やめたら？ 
兄：吸おうが吸うまいが、人なんていつかは死ぬんだ。

3
患者：先生、治して。いくらでも払うから。 
医者：いくらお金を積まれようが積まれまいが、治せないものは治せません。

4
男の子：あんた、誰？ 
宇宙人：信じようが信じまいが、オレは宇宙人だ。

5
ウサギ：ごめん。わるかった。 
タヌキ：泣いて謝ろうが謝るまいが、許さない。

6
客：ぼく、何も注文してませんけど……。 
ヤクザ：注文しようがするまいが、ここに入っただけで10万円なんだよ。

[こたえ] 1 がんばろうががんばるまい　2 吸おうが吸うまいが　3 積まれようが積まれまいが　4 信じようが信じまいが　5 謝ろうが謝るまいが　6 注文しようがするまいが

作ってみよう

「ようが」を使って、会話を完成させましょう。

1 会社員の信念

社員A：内部告発なんてしたら、大変なことになるぞ。
社員B：＿＿。

2 マラソンランナーの信念

マラソン選手A：まだ完治していないんだ。あしたの大会は棄権しろ。
マラソン選手B：＿＿＿＿＿＿＿＿＿＿＿＿＿＿＿＿＿＿＿＿＿＿＿＿＿＿＿＿＿＿＿＿＿＿。
マラソン選手A：本当にいいんだな。あしたが最後になっても。

「ようが～まいが」を使って、会話を完成させましょう。

3 稼ぎは関係ない

兄：定職に就いたらどうだ？　絵が売れなければ生活できないだろう。
弟：＿＿＿。
兄：稼げなかったら仕事とはいえないよ。

4 上達は関係ない

夫：50過ぎて習いはじめたって、うまくならないだろう。
妻：＿＿＿。
夫：じゃ、ピアノじゃなくて、習字にしたらどうだ？　うるさくないから。

話してみよう

1. 二人は、試験に落ち続けている子と、もう諦めさせようとする親です。親に、「ようが」を使って、諦めないことを表明しましょう。

2. 二人は、就職が決まって花見に行こうと思っている学生と、就職が決まらず焦っている学生です。「ようが～まいが」を使って、話しましょう。

文化メモ

「アリとキリギリス」
● p.14、15、146（問題3）
イソップ物語。食べ物がなくなる冬に備えて、アリ達は夏の間、一生懸命働いたが、キリギリス達は、楽しく歌って過ごした。冬になって食べ物がなくなり困ったキリギリス達は、アリに助けを求める、という話。

「井の中の蛙」
● p.28（問題1）
諺。狭いところにいては、外の広い世界はわからないということ。

「織姫と彦星」
● p.28（問題3）
七夕の伝説。織姫と彦星は、とても働き者だったので、天の王様は二人を結婚させてあげた。しかし、毎日が楽しくて働かなくなった二人に怒った王様は、二人の間に天の川を挟んで離したので、二人はとても悲しんだ。そこで一年に一度、7月7日の七夕の日にだけ逢わせてあげることにした、という話。

「ウィリアム・テル」
● p.28（問題4）
スイスの伝説の英雄の話。支配者に逆らったため、息子の頭上にリンゴを載せ、一発の矢で射抜くことができたら、命を助けてやると言われたウィリアム・テルが、見事一発でリンゴを射抜いた、という話。

「フランケンシュタイン」
● p.28（問題6）
物語。科学者フランケンシュタインに創り出された怪物の話。

「白雪姫」
● p.46、47、52（問題4）、178（問題2）
グリム童話。王妃は、自分より美しい白雪姫の存在を知り、毒リンゴを使って殺そうとする。白雪姫はそのリンゴを一口齧ると倒れてしまった。一緒に暮らしていた小人達が悲しんでいると、王子様が通りかかって、姫に一目惚れしてキスをする。姫は目を覚まし、二人は幸せに暮らした、という話。

「急がば回れ」
● p.48（問題2）
諺。急いでいるときこそ、物事を慌てずに着実に進めることが結果としてうまくいくということ。

「猿蟹合戦」
● p.52（問題3）、62、63
日本の昔話。猿は蟹が持っていたおにぎりと、そこらで拾った柿の種を交換する。その種が成長し、たくさん実を付けたのを見た猿は、木に登り、次から次に食べてしまう。蟹が自分にもくれるように頼むと、堅い実を取って蟹に投げつけ殺してしまう。その後、蟹の子どもたちは、猿に復讐した、という話。

「桃太郎」
● p.116、117
日本の昔話。おばあさんが川で洗濯をしていると大きな桃が流れてきたので、その桃を持って帰り、割ってみたら中から男の子が出てきた。男の子は大きくなって、村人を苦しめていた鬼達を退治しに出る。犬、猿、雉を家来にし、鬼のいる島に行き大暴れして、鬼から宝物を受け取って帰る、という話。

「ブレーメンの音楽隊」
● p.118（問題5）
グリム童話。役に立たなくなったからといって人間にいじめられたり捨てられたりした、ロバ、犬、猫、鶏が、協力して泥棒をやっつけ、新しい自分たちの生活を始める、という話。

「浦島太郎」
● p.130（問題2）
日本の昔話。浦島太郎は、海辺でいじめられていたカメを助けた。カメはお礼に、浦島太郎を海の中の竜宮城に連れて行った。そこには、美しい乙姫様がいて、浦島太郎は手厚くもてなされた。帰るとき、浦島太郎は乙姫様におみやげの玉手箱を渡され、箱を決して開けてはならないと言われたが、海辺に戻りその箱を開けた。すると、中から白い煙が出てきて、おじいさんになってしまった、という話。

「一寸法師」
● p.130（問題4）、160、161
日本の昔話。手のひらに乗るほど小さい男の子がいて、一寸法師と呼ばれていたが、ある日お姫様のお供をしているとき、鬼に襲われ、飲み込まれてしまう。一寸法師は刀にしていた針で鬼のお腹の中をつつき、鬼は苦しみ、一寸法師を吐き出す。鬼は逃げて行っ

たが、後に残された何でも願いを叶えてくれる打ち出の小槌を使い、一寸法師は大きくなることができ、お姫様と幸せに暮らした、という話。

「スターウォーズ」
● p.130（問題6） P.156、157
アメリカのSF映画。若くてキュートな姫や、その家来のロボット、正義の騎士、宇宙船の操縦士などが、宇宙を舞台に、悪に挑む。

「下手の横好き」
● p.146（問題1）
諺。下手なのだけれども、それをするのが大好きで、一生懸命やるということ。

「13日の金曜日」
● p.150（問題4）
アメリカのホラー映画。ジェイソンという殺人鬼が次々と人を襲い、殺害を繰り返す。

「雀の涙」
● p.150（問題5）
慣用句。とても少ない、僅かしかない、と言いたいときに使う。

「ジャックと豆の木」
● p.162（問題2）、（問題6）
イギリスの童話。市場に牛を売りに行った少年ジャックは、途中で出会った男の豆と、牛を交換するが、怒った母親は、豆を庭に捨てる。翌朝、その豆はどこまでも高く伸びていた。ジャックがその蔓を登って行くと、巨人の城があり、その巨人から逃げながら、巨人の宝物を持ち帰る、という話。

「ウサギとカメ」
● p.184、185
イソップ物語。ウサギとカメが、かけっこをすることになった。ウサギは走るのが速く、カメはとても遅いので、ウサギは途中で一休みし、眠ってしまう。カメは走り続け、ウサギを抜いて勝った、という話。

「西遊記」
● p.198（問題2）
中国の伝奇小説。三蔵法師という偉いお坊さんが、猿、河童、豚、3匹の妖怪を従えて、さまざまな困難を乗り越えながら、遥か遠くにある教典を手に入

れるために旅をするという話。

「義経と弁慶」
● p.198（問題3）
日本の歴史上の人物の話。弁慶は、体が大きく力も強く、乱暴者だったが、ある日、小さく弱そうな若者、義経と戦い、負けてしまう。それ以来、生涯、義経に仕え、義経が多くの敵に囲まれたとき、自分の体を盾にして多くの矢を受けながら戦い続け、死んでもなお立ち続けて義経を守ったという。

「シンデレラ」
● p.202（問題1）
世界中に伝えられる古い話。継母とその娘達にこき使われていたシンデレラは、お城で開かれる舞踏会に行きたいが、ドレスがない。そこに現れた魔法使いが、シンデレラにドレスとガラスの靴を与え、夜中の12時になると魔法は解けると告げる。王子様と踊っていたシンデレラは12時の鐘を聞いて焦り、階段で靴を落としてしまうが、王子様は、靴に足がぴったり合ったシンデレラを捜し出し結婚する、という話。

「カチカチ山」
● p.204、205、210（問題5）
日本の昔話。畑から野菜を盗む狸を、おじいさんが捕まえたが、狸は家にいたおばあさんをだまして、縄を解いてもらい、おばあさんを殺してしまう。おばあさんと仲良しだったウサギは、狸に山で火傷を負わせ、その傷に唐辛子味噌を塗って苦しめ、最後には、泥舟に乗せて溺れさせる、という話。

「ロミオとジュリエット」
● p.208、209
シェークスピアによる悲劇。ロミオとジュリエットは、お互いの家同士が憎み合っていたが、深く愛し合う仲になった。二人は、町を出る計画を立てるが、行き違いから、二人とも自ら命を絶ってしまう、という話。

「アルフ」
● p.210（問題4）
アメリカのホームコメディドラマ。毛むくじゃらの宇宙人アルフが、ある家族の家に居候を始め、さまざまな騒動を巻き起こす。

索引（50音順）

あ

	課	ページ
あげく	II	12	116
あまり	II	13	121
あまりの〜に	II	13	120
いかんで	II	33	200
いかんでは	II	33	201
以上	II	26	172
一方だ	II	8	101
一方で	II	4	85
以来→て以来	II	28	180
上	II	16	133
応じて→に応じて	II	17	137
おそれがある	II	1	72

か

	課	ページ
かかわらず→にかかわらず	I	9	42
かぎり	I	5	27
かぎりでは	I	5	26
かける	II	9	105
かねない	II	1	73
かねる	II	6	92
が早いか	II	34	205
かまわず→もかまわず	II	32	197
からいって	I	6	30
からこそ	II	19	144
からして	I	1	11
からでないと→てからでないと	II	10	109
からといって	I	6	31
からには	I	1	10
関して→に関して	II	15	128
きっかけに→をきっかけに	II	5	88
きり	II	27	176
きりだ→きり	II	27	176
きれない	II	14	124
比べて→に比べて	II	22	157
加えて→に加えて	II	16	132
契機に→を契機に	II	5	89
こそ→ばこそ	II	19	145

	課	ページ
応えて→に応えて	II	17	136
ことだ	II	18	141
ことには→ないことには	II	10	108
ことはない	II	24	165
ことはない→ないことはない	II	31	193

さ

	課	ページ
ざるをえない	II	2	77
しかない	II	23	161
次第	I	7	34
次第で	I	7	35
従って→に従って	II	7	97
しては→にしては	II	11	112
末に	II	12	117
ずにはいられない	I	14	63
ずにはおかない	I	14	62
そばから	II	34	204

た

	課	ページ
だけあって	II	30	189
だけある→だけあって	II	30	189
たところ	I	12	55
たところで	I	12	54
たとたん	II	21	153
たら最後	II	27	177
っこない	II	14	125
ったらない→といったらない	II	29	184
つつある	II	8	100
っぱなし	II	9	104
て以来	II	28	180
てからでないと	II	10	109
てからというもの	II	28	181
てならない	II	29	185
ではあるまいし	I	15	66
てはじめて	I	4	23
手前	II	26	173
といったらない	II	29	184

	課	ページ
といっても	II	20	148
どころか	I	8	38
どころではない	I	8	39
とたん→たとたん	II	21	153
とはいえ	II	20	149
伴って→に伴って	II	7	96
ともなると	II	30	188

な

	課	ページ
ないことには	II	10	108
ないことはない	II	31	193
ないわけにはいかない	II	2	76
なくもない	II	31	192
なり	II	21	152
に応じて	II	17	137
にかかわらず	I	9	42
に関して	II	15	128
に比べて	II	22	157
に加えて	II	16	132
に応えて	II	17	136
に従って	II	7	97
にしては	II	11	112
に伴って	II	7	96
にひきかえ	II	22	156
にほかならない	I	2	15
にもかかわらず	I	9	43
のみならず	II	3	81
のもとで	I	3	18

は

	課	ページ
ばかりか	I	10	47
ばかりでなく	II	3	80
ばかりに	I	10	46
ばこそ	II	19	145
はじめ→をはじめ	I	4	22
反面	II	4	84
ひきかえ→にひきかえ	II	22	156

	課	ページ
ほかない	I	2	14
ほかならない→にほかならない	I	2	15

ま

	課	ページ
まい	I	15	67
までだ	II	23	160
までもない	II	24	164
めぐって→をめぐって	II	15	129
もかまわず	II	32	197
もとで→のもとで	I	3	18
もとに→をもとに	I	3	19
ものだ	II	18	140
ものともせず→をものともせず	II	32	196
ものなら	I	11	51
ものなら→ようものなら	I	11	50
ものの	I	13	58
ものを	I	13	59

や

	課	ページ
ようが	II	35	208
ようが～まいが	II	35	209
ようがない	II	25	169
ようにも～ない	II	25	168
ようものなら	I	11	50

わ

	課	ページ
わけにはいかない	II	6	93
わりに	II	11	113

を

	課	ページ
をきっかけに	II	5	88
を契機に	II	5	89
をはじめ	I	4	22
をめぐって	II	15	129
をもとに	I	3	19
をものともせず	II	32	196

プロフィール

増田 アヤ子（ますだ あやこ）
カイ日本語スクール講師
1988年より多国籍の学生に直接法で初級から上級までを教える。

柳原 満月（やなぎはら みつき）
マンガ家・イラストレーター
少年マンガから、学習マンガ、教材イラスト等、多岐に渡り活動中。

マンガで学ぶ 日本語上級表現使い分け100

発行日	2011年11月18日 （初版）
	2024年10月7日 （第9刷）
著　者	増田 アヤ子
マンガ	柳原 満月
編　集	株式会社アルク日本語編集部
協　力	長谷川 頼子
校　正	長田 茂
デザイン・DTP	株式会社 創樹
英語翻訳	Jon McGovern
英語校正	Jenine Heaton
中国語翻訳	顧 蘭亭
中国語校正	石 暁宇
韓国語翻訳	金 海美
韓国語校正	朴 智慧
印刷・製本	萩原印刷株式会社
発行者	天野 智之
発行所	株式会社アルク
	〒141-0001　東京都品川区北品川6-7-29
	ガーデンシティ品川御殿山
	Website：https://www.alc.co.jp/

地球人ネットワークを創る
アルクのシンボル
「地球人マーク」です。

落丁本、乱丁本は弊社にてお取り替えいたしております。
Webお問い合わせフォームにてご連絡ください。
https://www.alc.co.jp/inquiry/
本書の全部または一部の無断転載を禁じます。著作権法上で認められた場合を除いて、本書からのコピーを禁じます。定価はカバーに表示してあります。

製品サポート：https://www.alc.co.jp/usersupport/

©2011 Masuda Ayako/Yanagihara Mitsuki/ALC PRESS INC.
Printed in Japan.
PC: 7011030
ISBN: 978-4-7574-2046-5

解答例

Learning with Manga : A Usage Guide for 100 Advanced Japanese Expressions

マンガで学ぶ
日本語上級表現使い分け 100
N1〜N3レベル

アルク

1部 言い方が似ている表現　解答例

1　「からには」vs「からして」
p. 13

作ってみよう
1. 出るからには完走したいからね
2. 宣言したからにはやめる／罰金
3. 入り口からして高そうだね
4. 靴の脱ぎ方からして失格

話してみよう
1. 子：ギター習いたいんだけど。
   親：ギター？　水泳もピアノも、半年ぐらいでやめたじゃない？！
   子：今度はちゃんとやる。
   親：やるからには、途中で投げ出しちゃダメだからね！
   子：うん。絶対大丈夫。
2. A：イグアナってかっこいいよな。
   B：どこが？
   A：目つきからして野性的だろ？
   B：目つきからしてずる賢そうだよ。

2　「ほかない」vs「にほかならない」
p. 17

作ってみよう
1. 歩くほかないだろう
2. 志望校を変えるほかないかな
3. 新しい店長のリーダーシップ不足が原因にほかならないでしょう
4. チームワークにほかならないでしょう

話してみよう
1. 妻：給料日まであと三日。あるのはこのキャベツだけ。
   夫：じゃあ、それで食いつなぐほかないね。
2. 学生：温暖化の原因は何だとお考えですか。
   教授：人間の傲慢さにほかならないと思います。何でも自分の思い通りにしよう、思い通りにできる、と思った結果が自然破壊、そして温暖化でしょう。

3　「のもとで」vs「をもとに」
p. 21

作ってみよう
1. のんびりした環境のもとで生きていきたくなったんだ
2. マスターのもとで修業できたこと、心から感謝しています
3. 町の特産品をもとに考えたようですよ
4. 歴史をもとに、うまくストーリー作ってあるからね

話してみよう

1. A：中学のときの男の音楽の先生覚えてる？
   B：もちろん。あの先生のもとで合唱コンクールの練習していたときは、楽しかったな。
   A：うん。歌も話もうまかったからな。

2. A：そのシャツ、いいね。
   B：これ？　雑誌で見た写真をもとに作ったんだ。
   A：天才じゃない？!

4　「をはじめ」vs「てはじめて」　p. 25

作ってみよう

1. 監督をはじめ、共演者の皆さん、スタッフの皆さんのおかげです
2. ピアノをはじめ、水泳、そろばん、習字、茶道、エトセトラ。全部すぐやめちゃったけどね
3. お母さんがいくら一生懸命になってもねえ。本人がその気にならないと。本人がやる気を出してはじめて、学力は伸びるんですよ
4. 自立できてはじめて大人なんじゃないかな

話してみよう

1. 入会希望者：こちらのスポーツクラブには、何か教室はありますか。
   受付　　　：ヨガをはじめ、エアロビや水泳教室などいろいろございますが。
   入会希望者：スケジュール表みたいなものがあったらいただけますか。

2. A：この前、朝市で食べてはじめてキュウリがおいしいと思ったよ。
   B：何？　朝市って？
   A：その日の朝、穫ってきた野菜を農家の人が売るの。
   B：ああ、わかった。僕も民宿で、その日に釣れた魚を食べてはじめて、魚がうまいって思ったもん。

5　「かぎりでは」vs「かぎり」　p. 29

作ってみよう

1. 自己紹介を聞いたかぎりでは、しっかりした子だと思います
2. その辺を歩いたかぎりでは、なかなかいいよ
3. おまえが言わないかぎり、バレないよ
4. 上にあの社長がいるかぎり無理でしょう

話してみよう

1. A：旅行どうだった？
   B：ホームページを見たかぎりでは、いい旅館だったんだけどなあ。
   A：よくなかったの？
   B：食事はまずいし、風呂は狭くて暗いし。
   A：ホームページの写真って、よく見えるからね。

2. A：休んだり遅刻したりしているかぎり、成績はよくならないよ。
   B：どうせ、ちゃんと来たって授業わかんないし。
   A：努力しないかぎり、わかるようにはならないよ。
   B：おまえにオレの何がわかる！

6　「からいって」vs「からといって」　　p. 33

作ってみよう

1　重さからいって、ビールかな
2　年齢からいって、ムリでしょう
3　つまらないからといって帰るわけにはいきませんよ。部長の送別会なんですから
4　ニコニコしているからといって、優しいとはかぎらないよ

話してみよう

1　A：彼女に告白したら、うまくいくと思う？
　　B：彼女の好みからいって、その顔じゃな。
　　A：やっぱり。
　　B：それに、彼女の好みからいって、その体型じゃね。
　　A：だよね。
2　子：わーい。焼き肉だ。
　　親：好きだからといって肉ばかり食べてちゃダメよ。野菜も食べなきゃ。
　　子：わかってるよ。

7　「次第」vs「次第で」　　p. 37

作ってみよう

1　わかり次第、連絡ください
2　お一人まだお戻りになっていらっしゃらなくて。お着きになり次第、出発いたしますので
3　能力次第で、入社できますし出世もできます
4　その人の考え方次第でなれるんじゃない

話してみよう

1　客　　　：なるべく早く引っ越したいんですが、あとどれぐらいかかりそうですか。
　　不動産屋：あと1週間ほどの予定ですが……内装が終わり次第、ご連絡させていただきます。
2　後輩：私、よく冷たい感じがするって言われるんですけど、どうしてでしょう？
　　先輩：声のトーンとかスピードを変えてみたら？　話し方次第で、印象は変わるから。

8　「どころか」vs「どころではない」　　p. 41

作ってみよう

1　天使どころか鬼より怖いよ
2　泳げるどころか、選手だったんだけど
3　映画どころじゃないよ。来週、論文の締め切りなんだ
4　就活どころじゃないよ。留年しそうなんだ

話してみよう

1. A：今年の夏は、ほんとに暑かったよね。うちなんか、一日中ずっとエアコンつけてたもん。
   B：うちは、エアコンどころか扇風機もなくてね。しょうがないから、涼しいファミレスでバイトしてたよ。
2. 母：プール楽しかった？
   子：ぜーんぜん。人が多くて泳ぐどころじゃなかったよ。
   母：休みの日は混むんだね。

9　「にかかわらず」vs「にもかかわらず」　p.45

作ってみよう

1. 障害の有る無しにかかわらず、明るく元気に暮らしていける社会です
2. 体型にかかわらず着られる服
3. みんなが一生懸命仕事しているにもかかわらず、5時になるとさっさと帰るんですから
4. 授業が始まっているにもかかわらず、誰一人、席に着いて話を聞こうとしないんですから

話してみよう

1. 客　　　：この自転車、高いですね。
   自転車屋：これは電動自転車です。坂道の有る無しにかかわらず楽にこげるんですよ。
   客　　　：ふーん。
2. 住人：ここを出て行けと？
   大家：再三家賃を請求したにもかかわらず、あなたは無視し続けたでしょう？
   住人：お金ができたら払いに行こうと思っていたんです。
   大家：その前に、お願いとかお詫びとかしに来るのが常識でしょう。

10　「ばかりに」vs「ばかりか」　p.49

作ってみよう

1. 電車を間違えてプレゼンに遅れたばかりに、左遷だよ
2. 入院してたんですよ。ちょっと残り物を食べたばかりに、食中毒になっちゃって
3. ぼくの自転車を黙って乗り回したばかりか、パンクさせて戻って来て、「ほら返す」って
4. ドライブしたばかりか、夜は彼女の家に上がり込んだろう

話してみよう

1. A：これ、卒業の記念にクラスみんなで撮った写真だろ？
   B：そう。
   A：あれ？　おまえ写ってないな。
   B：ちょっとジュースを買いに行ったばかりに、入れてもらえなかった。
2. A：元気ないけど、何かあった？
   B：テストの点が悪くて、母親ばかりか妹にまでバカにされたんだ。
   A：女にはデリカシーがないんだ。気にするな。

11 「ようものなら」vs「ものなら」　p. 53

作ってみよう

1　少しでも遅刻しようものなら後ろに立たされるし、宿題なんか忘れようものなら居残り勉強だし、余計なものを持って行こうものなら没収されるし
2　少しでも早く終わろうものなら皮肉言われるし、1点でも下がろうものならイヤミ言われるし
3　辞められるものなら辞めたいよ
4　この木、登れるものなら登ってみろ

話してみよう

1　A：彼女とはうまくいってる？
　　B：うん。きれい好きでね、ちょっとでも部屋を汚そうものなら、血相変えて掃除始めるし、心配性でね、メールの返信が遅れようものなら、夜中でも電話かけてくるし。
　　A：別れたほうがいいんじゃない？
2　妻：ねえ、もう何年も旅行してないよね。2、3日、休み取れない？
　　夫：取れるものなら取りたいよ。でも無理だな。
　　妻：言うだけ言ってみたら？
　　夫：「取れるものなら取ってみろ。あしたから来なくていいから」って言われるよ、きっと。

12 「たところで」vs「たところ」　p. 57

作ってみよう

1　どんなにがんばったところで、給料上がらないし、出世もできないし
2　そんなの立てないよ。立てたところで、どうせ達成できないんだから
3　ネットで調べたところ、よさそうなマンションが見つかりました
4　先月から閉店時間を1時間遅らせたところ、売り上げを伸ばすことができました

話してみよう

1　夫：今回も選挙の投票率、低いよな。
　　妻：1票入れたところで何も変わらないと思う人が多いからじゃない？
2　校長：先生のクラス、ずいぶん漢字の点数がよくなりましたね。
　　教師：ええ。毎朝5分間の小テストを始めたところ、みんなよくなったんです。

13 「ものの」vs「ものを」　p. 61

作ってみよう

1　抽選で当たったものの、この日、どうしても都合がつかなくなっちゃって
2　張り切って始めたものの、向いてなかったみたいで。大変でね
3　もっと真面目にやっておけばよかったものを
4　奨学金をもらえば続けられたものを

話してみよう

1 A：一流大学出て、大企業に入って、おまえ、すごいな。
　B：確かに、大企業に入りはしたものの、専門を生かせる仕事が回ってこなくて、正直くさってんだ。そっちこそ、もう結婚したんだって？　よかったじゃないか。
　A：うん。でも、結婚したものの、すぐ別居だぞ。奥さん、単身赴任しちゃって。
　B：お互い、現実は厳しいな。
2 A：入院してたんだって？
　B：え？　うん、まあ。
　A：知らせてくれたら見舞いに行ったものを、ちっとも知らなかったよ。
　B：ありがとう。でもすぐよくなりそうだったから。

14 「ずにはおかない」vs「ずにはいられない」
p. 65

作ってみよう

1 心配するな。しっかり練習させずにはおかないから
2 ぜったい犯人を見つけずにはおかないぞ
3 見ずにはいられないのよ。ほかに女がいるんじゃないかと思って
4 女性を見ると声を掛けずにはいられなくなるんだよ

話してみよう

1 A1：次はぜったい負けないからな。
　A2：ボコボコにしてやる。
　A3：土下座させずにはおかないぞ。
2 男：また電話しちゃった。君の声を聞かずにはいられなくって。
　女：うれしい。ねえ、今度はいつ会えるの。離れて暮らすなんて、もう我慢できない。
　男：ぼくもだよ。もう、会わずにはいられないよ。
　女：じゃあ、今から会いに来て。
　男：無理を言うなよ。そうだ。夢の中で会うことにしよう。

15 「ではあるまいし」vs「まい」
p. 69

作ってみよう

1 アイドルではあるまいし、そんなチャラチャラした服、着るつもり
2 恋人同士ではあるまいし、甘えないで
3 まさか、チャンピオンが負けることはあるまいと思っていたんですがね
4 ぜったい手に入るまいと思っていたチケットが、手に入ったんだよ

話してみよう

1 A：ペットの犬が庭先でほえるから、そこを掘ってみたら、大金が出てきたんだって。
　B：昔話ではあるまいし、ないよ、そんなこと。
2 教師：最近、高校生で、ホストのバイトをしている者がいるらしい。うちの生徒ではあるまいと思うが、心当たりのある者は申し出るように。
　生徒：そんなかっこいいやつ、ここにはいません。

2部　意味が似ている表現　解答例

1　「おそれがある」vs「かねない」　p. 75

作ってみよう

1　けがをするおそれがありますからね。電車が遅れるおそれもあるし
2　各地に大雨のおそれがありますので、警戒が必要です
3　あの社長なら脱税しかねないな
4　あいつら、殴りかねませんからね

話してみよう

1　医者　：今の生活を続けていたら、成人病になるおそれがありますよ。
　　受診者：悪いのは、酒ですか、タバコですか、食生活ですか。
　　医者　：全部です。
2　社員A：最近、景気が悪くて、売り上げが伸びませんね。
　　社員B：ええ。このままでは、ボーナスカットされかねませんね。
　　社員A：リストラだってされかねませんよ。

2　「ないわけにはいかない」vs「ざるをえない」　p. 79

作ってみよう

1　おじぎしないわけにはいかないだろう
2　部長がぼくのとこに来て話しはじめるから、聞いていないわけにはいかなかったんだよ
3　やめざるをえなかったんだ。値上げして
4　あのときは払わざるをえなかったんだよ。怖いお兄さんたちがいて

話してみよう

1　A：今まで部活？　遅かったね。
　　B：先輩が部室の掃除始めたんで、私もやらないわけにはいかないから、それでね。
　　A：わかるわかる。1年生は大変だよね。
2　A：今まででいちばん辛かったときって、いつ？
　　B：大学進学、諦めざるをえなかったとき、かな。家庭の事情で。Aは？
　　A：けがで、サッカー選手、断念せざるをえなくなったとき、だな。
　　B：でも、今が幸せだから、もういいや。ね。

3　「ばかりでなく」vs「のみならず」　p. 83

作ってみよう

1　日用品ばかりでなく、化粧品まで売ってるんだよ
2　買い物ばかりでなく、いろんな人と話もできるんだよ
3　スピード違反のみならず、信号無視までしているのですよ
4　遅刻欠席のみならず、暴力行為を繰り返しているのです。彼は

話してみよう

1. 客：炊飯器が欲しいんですが。
   店員：これなんかいかがでしょう。ご飯ばかりでなく、パンも餅も作れます。
   客：ご飯がおいしく炊ければいいんですけど。
2. 学生A：戦争は、兵士のみならず、一般市民の命まで奪ってしまう悲惨なものです。
   学生B：日常生活のみならず、将来の夢も希望も壊してしまう、忌まわしいものです。
   学生A：この世の最大の悪です。

4 「反面」vs「一方で」
p. 87

作ってみよう

1. 後輩の面倒見がいい反面、厳しすぎるところがありますからね
2. これは、頑丈な反面、ちょっと重いんですよね
3. 老人ホームを経営する一方で、年寄りから財産をだまし取っていたんです
4. 生活指導をする一方で、女子生徒の隠し撮りをしていたんです

話してみよう

1. A：どうですか。新製品は？
   B：通気性に優れている反面、耐水性に欠けますね。
   A：じゃ、雨の日は履かないほうがいいですね。
   B：ええ。むれない靴、ということで売っていくみたいですよ。
2. A：うちの父親、節電をうるさく言う一方で、エアコンを28℃にして冬でもTシャツ一枚なんだ。
   B：うちの母親は、細かくゴミの分別をする一方で、リサイクルはしないんだよね。
   A：全く、どうしたいんだろうね。

5 「をきっかけに」vs「を契機に」
p. 91

作ってみよう

1. 客で来ていたんですけど、忙しいときちょっと手伝ったのをきっかけに
2. 新聞で造り方、目にしたのをきっかけに始めたんだけど、そんなに大変じゃないよ
3. ええ。退職を契機に始める方が多くなっています
4. はい。結婚を契機に店を出したいと思いまして

話してみよう

1. A：このジグソーパズル、全部一人で完成させたの？
   B：うん。何かの景品でもらったのをきっかけに始めたんだ。
   A：見事だね。
2. 責任者：メニューが新しくなるのを契機に、レディスデイを設けようと思います。
   従業員：というのは？
   責任者：毎週水曜日のランチメニューを、女性客は半額にするのです。

6 「かねる」vs「わけにはいかない」　p. 95

作ってみよう
1. 大変申し訳ございませんが、お子様はお預かりいたしかねます
2. この花瓶は、お譲りいたしかねます。創業当初から伝えられているものですので
3. 今、教えるわけにはいきません。テスト中ですよ
4. やめるわけにはいかないよ。今やめたら、これまでの苦労が水の泡になってしまうじゃないか

話してみよう
1. A社社員：この条件では、契約いたしかねます。もう一度、ご検討願えませんか。
   B社社員：わかりました。では、また改めてご連絡させていただきます。
2. 弟：早く遊びに行こうよ。
   兄：でも妹を置いて行くわけにはいかないだろう。
   弟：連れて行くとうるさいし、お母さん、すぐ帰ってくるよ。早く行こう。

7 「に伴って」vs「に従って」　p. 99

作ってみよう
1. 映画の公開に伴って、主演スターが来日するようですよ
2. 合併に伴って、新しい町名も募集しなきゃいけませんしね
3. 地位が上がるに従って責任が重くなりますからね
4. 親しくなるに従ってわがままになっていくんだ

話してみよう
1. A：次のオリンピックがここに決まりましたね。
   B：ええ。オリンピック開催に伴って、メインスタジアムが改築されるようですよ。
2. A：コンピューターが発達するに従って、仕事が効率化されてきましたよね。
   B：ええ。でも、発達するに従って人間関係が希薄になってきたと思いませんか。
   A：確かに。直接会わなくても仕事ができるようになりましたからね。

8 「つつある」vs「一方だ」　p. 103

作ってみよう
1. よくなりつつあります
2. 黒字に転じつつあります
3. このままでは悪化する一方ですから
4. 雨も風も強くなる一方です

話してみよう
1. A：ロボットの動きが人間に近づきつつありますね。
   B：ええ。そのうち感情も出てきたりして。
2. ニュースキャスター：場所によっては、環境破壊が進む一方だとか、砂漠が広がる一方だとか言われているようですね。
   解説者：今や、一つの国の問題ではなく、全世界が力を合わせるときが来ているのです。

9 「っぱなし」vs「かける」　p. 107

作ってみよう
1. 洗濯物、干しっぱなしだった
2. 本、借りっぱなしだった
3. それ、私の飲みかけだけど
4. 何書いたらいいかわからなくて、書きかけてやめちゃった

話してみよう
1. 親：食べっぱなし、飲みっぱなし、脱ぎっぱなし。片付けなさいって、何度言ったらわかるの？！
   子：今やろうと思ってたんだよ。
2. 子：ねえ、このプラモデル買って。
   親：ダメ。作りかけのものがたくさんあるでしょ。全部作り終わったら買ってあげる。

10 「ないことには」vs「てからでないと」　p. 111

作ってみよう
1. この問題がわからないことには、次には進めないよ
2. お金がないことにはねえ
3. ええ。完全に治ってからでないと、ほかの人に移してしまいますから
4. お化粧してからでないと恥ずかしいでしょ

話してみよう
1. A：あー。今ドラマいいとこだったのにー。早く何とかして。
   B：停電が終わらないことには、どうにもならないよ。
2. 男：ぼくたち、早く結婚しようよ。
   女：仕事が見つかってからでないと、生活できないでしょう。
   男：お金なら親にもらうから大丈夫だよ。
   女：あなたが自立してからでないと、無理！

11 「にしては」vs「わりに」　p. 115

作ってみよう
1. 星にしては大きいよ／飛行機にしては動きが変
2. 勉強してたにしては、ずいぶん楽しそうだったじゃない？
3. 値段のわりに、部屋も食事もよかったよ
4. 練習したわりに、上手く歌えなくて

話してみよう

1 子：具合悪いから、学校休む。
　母：悪いにしては食欲あるのね。
　子：悪いのは頭で、お腹じゃないから。

2 夫：どう、具合は？
　妻：熱があるわりに、辛くない。
　夫：でも寝てなきゃだめだよ。

12 「あげく」vs「末に」　　　p. 119

作ってみよう

1 毎日、家族に暴力を振るったあげく、包丁を持って暴れたらしいよ
2 酔っぱらって大騒ぎしたあげく、大切な高級グラスを割って大喜びしてた
3 ありがとうございます。何度も失敗を重ねた末に、たどりついた味なんです
4 あちこちの古本屋を探し回った末に、何とか一冊

話してみよう

1 A：好きな人とか、いないの？
　B：いない。10年も尽くしたあげく、300万円もだまし取られて捨てられたんだから。男なんて大っ嫌い！
2 教師：この成績だったらトップクラスの大学が狙えるのに。
　生徒：いいんです。何度も両親と話し合った末に決めたことですから。私は早く自立したいんです。

13 「あまりの〜に」vs「あまり」　　　p. 123

作ってみよう

1 あまりの行列に諦めて、歩いて帰って来た
2 あまりの嫉妬深さに嫌気がさして
3 行った行った。もう最高！　感激のあまり泣き出す子もいたんだよ
4 ショックのあまり、しばらく動けなかった

話してみよう

1 A：今年の冬は寒さが厳しいね。うちなんか、あまりの寒さに、窓の水滴が凍っちゃったもん。
　B：暖房つければいいだろう。
　A：ガスも電気も料金滞納で止められてんの！
2 A：先週、結婚式でスピーチしたんだけど、緊張のあまり頭の中、真っ白になって、何言ってるのか、わからなくなっちゃった。
　B：わかるわかる。私も緊張のあまり、声が変になったり震えたりしたことある。

14 「きれない」vs「っこない」　　　p. 127

作ってみよう

1 もうごまかしきれない

2 校長先生の髪の毛、見てたら、おさえきれなくなったんです
3 受かりっこないよ。やめとけ
4 勝てっこないから、しない

話してみよう

1 A：遠慮しないでもっと食べて。まだまだたくさんあるから。
　B：そんなに食べきれないよ。
　A：じゃ、マンガ読む？　好きだろ？　ここには10冊しかないけど、隣の部屋にいっぱいあるから、持って来ようか。
　B：いいよ。そんなに読みきれないし。
2 A：こんな難しい本、あしたまでに読んでこいって言われても、読めっこないよな。
　B：ないない。
　A：それで、レポート書けって。書けっこないよな。
　B：ムリムリ。

15 「に関して」vs「をめぐって」　p. 131

作ってみよう

1 受験に関して直接伺いたいときは、どうすればいいですか
2 共同設備に関して説明しましょう
3 新しい企画をめぐって意見が分かれていますからね
4 権力をめぐって争ったり、領土をめぐって殺し合ったり、人は愚かだと思います

話してみよう

1 人事担当者：業務内容に関して質問がある場合は、担当の者にお聞きください。
　学生　　　：必要とされる人材や研修に関しては、どなたに伺えばよろしいでしょうか？
　人事担当者：人材や研修に関しては、今からご説明いたします。
2 相談者：父の遺産をめぐって、私と姉と妹がもめているんです。
　弁護士：遺言は残されていないんですか？

16 「に加えて」vs「上」　p. 135

作ってみよう

1 味と見た目に加えて、カロリーが低いですから
2 建物の老朽化に加えて、従業員の高齢化が進み、もう限界なんです
3 仕事がきつい上、時給が安いですからね
4 立地条件がいい上、流行の先端を行っているからでしょう

話してみよう

1 A：売り上げ低下に加えて、原料費の高騰のため、経営困難な状態が続きそうですよ。
　B：とりあえず、役員報酬を停止しましょうか。
2 A：今度の商品、どう思いますか？
　B：使いやすい上、おしゃれですからね。大ヒット間違いなしですよ。

17 「に応えて」vs「に応じて」
p. 139

作ってみよう
1 皆さんの激励に応えて、優勝してきます
2 では、リクエストに応えて、もう一曲
3 お客様の目的に応じて選んでおります
4 お客様のご希望の日数に応じて、プランをお作りいたしますが

話してみよう
1 A：どんな人に政治家になってほしいと思う？
　B：それはもちろん、我々一人ひとりの要求に応えて仕事をする人だよ。
　A：いるかな、そんな人。
2 A：どんな先生が好き？
　B：学生の個性に応じて教えてくれる先生。
　A：そういう先生、いいよね。

18 「ものだ」vs「ことだ」
p. 143

作ってみよう
1 会社やめるよね／どうしてって、結婚したら女は家庭に入るものだろ
2 お姉ちゃんは妹に優しくするものよ
3 じゃあ、志望校を変えることですね
4 カロリーとアルコールを控えて、運動することですね

話してみよう
1 父　：冬休みはいつ帰ってくるんだ？
　息子：帰らないよ。
　父　：何、言ってるんだ?! 正月は家族そろって迎えるものだ。帰ってきなさい。
　息子：こっちにはこっちの生活があるんだよ。
2 A：彼とはうまくいってる？
　B：なんか、だんだん息苦しくなってきた。
　A：どういうこと？
　B：毎日20回ぐらいメールが来るし、毎晩3時間ぐらい電話切らせてくれないし、会えないって言うと、浮気してるだろうって疑うし……。
　A：それは、もう、一日も早く別れることね。

19 「からこそ」vs「ばこそ」
p. 147

作ってみよう
1 諦めなかったからこそ開店できたんだ。おめでとう
2 歩き回ったからこそ、きれいな景色が見られたり、おもしろい人に出会えたりしたんだよ。また行こうね。お父さんにお金出してもらって
3 続ければこそ、成功するんです
4 食べるものに気を使えばこそ、家族の健康が守れるのよ

話してみよう

1 A：あんなに学校が嫌いだったのに、学校の先生になったなんて、信じられないよ。
　B：嫌いだったからこそ、先生になったんだよ。
　A：どうして？
　B：学校が嫌いな子どもたちの気持ちがわかるだろ。

2 弟：よく何人もの女性と付き合えるね。まじめに一人の女の人と付き合ったほうがいいんじゃない？
　兄：いろいろな女性と付き合えばこそ、いちばん自分に合う人が見つかるんだよ。おまえもがんばれ。

20　「といっても」 vs 「とはいえ」　p. 151

作ってみよう

1 といっても、屋台のラーメンな
2 といっても、勉強じゃないよ。大好きな部活をやりに行くんだけどね
3 とはいえ、今からでもやってやれないことはない
4 とはいえ、決して油断してはならない

話してみよう

1 A：子どもができた。
　B：うそ！
　A：といっても、ハチ（犬）にね。
　B：なーんだ。

2 A：先生、希望する会社に内定決まりました。
　B：それはよかった。おめでとう。
　A：とはいえ、希望した企画部ではなく営業部なんですけど。

21　「なり」 vs 「たとたん」　p. 155

作ってみよう

1 パンをくわえるなり、飛び出していった／サッカーの練習だって
2 みんな先生を見るなり吹き出したんだ
3 中学生になったとたん、帰りは遅いし、話し掛けても返事しないし
4 結婚したとたん、恥じらいがなくなって、可愛気が消えて、いつも偉そうで

話してみよう

1 A：きのう、うちのじいちゃん、テーブルに置いてあった皿を持つなり踊り出してさ。
　B：ついにボケたか。
　A：うちでもみんなそう思ってゾッとしたんだけど。
　B：違った？
　A：うん。老人会でやる踊りの練習をしたくなったんだって。

2 A：どうしたの、その腕？
　B：きのう、自転車に乗ったとたん、ペダルがとれて、転んだんだ。
　A：痛そう。

22 「にひきかえ」vs「に比べて」 p.159

作ってみよう
1 お隣のご主人にひきかえ、足は短いし、収入は悪いし、気が利かないし、きれいにする気も起きないっていうの
2 それにひきかえ、我が家は古くて狭くて汚くて
3 これまでの冷蔵庫に比べて、消費電力が20％節約できます
4 資料によると、Aは年々、就職率を上げていて、前年度はその前の年に比べて3％アップしてますね

話してみよう
1 A：田舎はいいよね。自然が豊かで。
　 B：ほんと。それにひきかえ、都会はビルばっかり。
2 客　：どのクリームにしようかな。
　 店員：こちらはいかがですか。他の商品に比べて、大幅に紫外線をカットしますよ。

23 「までだ」vs「しかない」 p.163

作ってみよう
1 熊を見たら、逃げるまでだよ
2 そのときは、駆け落ちするまでよ
3 じゃ、今日は帰るしかないね
4 デートするしかないんじゃない

話してみよう
1 妻：もし失敗したらどうする気？
　 夫：そのときは、実家にもどって家業を継ぐまでだよ。
2 社員：どうしよう。自信ないんだけど。
　 同僚：もうやるしかないだろう。大丈夫。何とかなるよ。

24 「までもない」vs「ことはない」 p.167

作ってみよう
1 行くまでもないよ。こんなぼろアパート
2 おまえの言いわけなんて聞くまでもないよ。どうせまた、電車が遅れたとか言うんだろ
3 心配することはないよ。全部、ぼくがやるから
4 子どものけんかに口を出すことはないよ

話してみよう

1 妻：ねえ、今度の休み、どこか行こうよ。
　夫：どこもいっぱいだよ。
　妻：調べたの？
　夫：調べるまでもないよ。
　妻：もう！　いっつもそうなんだから！
2 弟：アイスクリーム食べたぐらいで、怒ることはないだろう。
　兄：楽しみにとっておいたアイスクリームなんだ。バカ！

25 「ようにも～ない」vs「ようがない」　p. 171

作ってみよう

1 寒くて布団から出ようにも出られないんだ
2 部長につかまっちゃって、抜けようにも抜けられなかったんだよ
3 じゃ、付けようがないな
4 ケータイ、うちに忘れてきちゃって、メールのしようがなかったんだよ

話してみよう

1 妻：あれ？　どうしてこのスペアリブ食べないの？
　夫：食べたいんだけど、歯が痛くて、噛もうにも噛めないんだよ。
2 A：さあ、食事の支度をしよう。ナイフは？
　B：忘れた。
　A：じゃあ切りようがないな。マッチかライターは？
　B：ない。
　A：火のつけようもないのか。しょうがない。野菜をかじろう。

26 「以上」vs「手前」　p. 175

作ってみよう

1 留学する以上、しっかり勉強してくるんだよ
2 出る以上、全力を尽くせよ
3 来週1週間休みをもらう手前、ちゃんとやらないとね
4 金借りてる手前、断れなかったんだよ

話してみよう

1 A：開発を引き受けた以上、最高のものを作りましょう。
　B：ええ、やる以上、ヒットさせたいですね。
2 A：やると言った手前、仕方ありませんよね。
　B：ええ。社長が見ていた手前、言っちゃいましたからね。

27 「きり」vs「たら最後」　　　p. 179

作ってみよう
1. 半年前に切ったきりだからね
2. きのうの朝、食べたきり、何も食べていないんだ
3. デパートに行ったら最後、夜まで戻らないよ
4. つかまったら最後、3時間は昔の自慢話聞かされるからね

話してみよう
1. A：この洞窟のこと、知ってる？
   B：何？
   A：この中に入ったきり、出て来なくなった人が何人もいるんだって。
   B：うそー。
2. A：隣のうち、うるさいね。
   B：うん。ギターを弾きはじめたら最後、夜中までずっとだよ。
   A：ひどいな。

28 「て以来」vs「てからというもの」　　　p. 183

作ってみよう
1. 民宿で食べて以来、好きになったんだ
2. 先月けんかして以来、気持ちが冷めちゃって
3. この前、道に迷ってからというもの、うちに引きこもるようになったのよ
4. 私がゲームに勝ってからというもの、話し掛けても返事をしてくれないし、顔を見ようともしないんです

話してみよう
1. 後輩：私、中学のとき音楽のテストで笑われて以来、人前で歌ったことないんです。
   先輩：傷ついたんだね。
   後輩：ええ。それが今度、友達の結婚式でどうしても歌わなきゃいけなくなっちゃって。
   先輩：それは大変。一緒に練習しようか。
2. 姉：彼と別れる。
   妹：どうしたの？
   姉：ギャンブルで大金を手にしてからというもの、働かなくなったのよ。

29 「といったらない」vs「てならない」　　　p. 187

作ってみよう
1. 待遇が悪いといったらないんだ。勤務時間は長いし、給料は安いし、上司はうるさいし
2. 頼りないといったらないんだもん。一人じゃ何もできなくて
3. はい。あのとき1点入れていれば勝てたのに。悔しくてなりません
4. 憎くてならなかったんです。中学生のころからいじめられてて

話してみよう

1. A：最近、犬飼いはじめたんだけど、賢いといったらないんだ。朝は起こしてくれるし、夜は玄関で待ってるし。
   B：すごいな。奥さんより賢いな。
2. 患者：手術なんて、怖くてならないんですけど。
   医者：簡単な手術ですから、大丈夫ですよ。
   患者：でも、不安でならないんですけど。
   医者：安心してください。うまくいきますから。たぶん。

30 「ともなると」vs「だけあって」
p. 191

作ってみよう

1. 母親ともなると、たくましくなるんだね
2. 王室ともなると、ハデさのケタが違うな
3. 帰国子女だけあって、語学力抜群なんだ
4. 山奥だけあって、静かで、空気も景色もきれいだったね

話してみよう

1. A：大統領の周りには、いつも怖そうな男たちがいっぱいいるよね。
   B：大統領ともなると、一人で自由に動き回ることはできなくなるんだね。
2. A：このセーター、カシミヤだけあって、手触りいいね。
   B：軽いしね。

31 「なくもない」vs「ないことはない」
p. 195

作ってみよう

1. 気にならなくもないけど、いいよ、もう、若くないんだから
2. なくもないけど、考えてもしょうがないじゃない
3. 持って帰れないことはないけど、重くて大変だよ
4. 履けないことはないけど、デザインが古いんだもん

話してみよう

1. 母：あしたから期末試験でしょ？　やる気あるの？
   子：なくもないけど、今からやっても、もう手遅れだよ。
2. A：来月、引っ越すんだけど、手伝ってくれる？
   B：手伝わないことはないけど、何かいいことある？
   A：夕飯ごちそうするよ。ビール付き。
   B：じゃ、手伝う。

32 「をものともせず」vs「もかまわず」　　　p. 199

作ってみよう
1 爆弾をものともせず、敵の中に突っ込んでいくんだ
2 膨大な資料をものともせず、処理しちゃうんだよ
3 日に焼けるのもかまわず、庭でハーブの手入れしてるよ
4 匂いがするのもかまわず、ハンバーガーとか、かじってるヤツ

話してみよう
1 A：結婚するとしたら、どんな人がいいと思う？
　B：貧乏をものともせず、明るく楽しく生きていける人。
　A：うん。逆境をものともせず、たくましく生きられる人っていいよね。
2 A：私は、冬になると、手の感覚がなくなるのもかまわず、雪合戦をしたなあ。
　B：ぼくはね、鼻水が垂れるのもかまわず、川の中に入って魚とりをしたよ。

33 「いかんで」vs「いかんでは」　　　p. 203

作ってみよう
1 次の営業成績いかんで、進退が決まると思うよ
2 シェフの腕いかんで、店は繁盛もするし傾きもします。よろしく頼みますよ
3 パッケージいかんでは売れるかもしれないよ
4 今後の働きいかんでは、まだ望みはある

話してみよう
1 学生：日本語がうまくできれば面接は大丈夫でしょうか。
　教師：日本語も大切ですが、そのときの印象いかんで、面接官の評価は大きく変わるようですから、服装や表情や態度に気を付けたほうがいいと思いますよ。
　学生：つまり、日本語が上手でも不合格になることがある、ということですね。
2 A：次期社長は、佐藤取締役に決まりでしょう。
　B：そう思うけど、今のプロジェクトの結果いかんでは変わるかもしれないよ。
　A：そうなんですか。

34 「そばから」vs「が早いか」　　　p. 207

作ってみよう
1 開けるそばから閉めないでよ
2 並べるそばから盗まれて、やっていけなくなったんですよ
3 毎日かばんを置くが早いか遊びに飛び出していくんですよ
4 晩ご飯食うが早いか寝ちゃうよ

話してみよう

1 A：うちの父親さ、おれが録画するそばから消しちゃうの！ ひどいだろ？
　B：うちの母親なんて、おれが片付けるそばから散らかすんだよ。ほんと、参っちゃうよ。
2 A：今度出た歌、かっこいいよねえ。
　B：うん。発売されるが早いか、ミリオンヒットらしいよ。

35 「ようが」vs「ようが〜まいが」　p. 211

作ってみよう

1 倒産しようが、ぼくは社会人として正しいことをする
2 これで選手生命を絶たれようが、オレは最後まで走る
3 売れようが売れまいが、これがオレの仕事だ
4 上手くなろうがなるまいが、そんなことはどうだっていいの。私は老後の趣味が欲しいのよ

話してみよう

1 親：おまえに医者は向いてない。他の道に進んだほうがいい。
　子：嫌だ。何年かかろうが、医者になる。
2 A：いつ花見に行く？ 早くしないと散っちゃうよ。
　B：うるさい！ 散ろうが散るまいがどうでもいい。そんなことより、早く就職先決めないと。